KB178129

가슴으로 들어요

요양보호사가 마음으로 듣는 이야기

가슴으로 들어요

발 행 | 2024년 7월 15일
저 자 | 장금녀
펴낸이 | 한건희
펴낸곳 | 주식회사 부크크
출판사등록 | 2014.07.15.(제2014-16호)
주 소 | 서울특별시 금천구 가산디지털1로 119 SK트윈타워 A동 305호
전 화 | 1670-8316
이메일 | info@bookk.co.kr

ISBN | 979-11-410-9314-3

www.bookk.co.kr
ⓒ장금녀 2024
본 책은 저작자의 지적 재산으로서 무단 전재와 복제를 금합니다.

가슴으로 들어요

장금녀

CONTENT

들어가며

언제부터인가 나는 사람의 말을 가슴으로 듣는 버릇을 습관처럼 하고 있다. 어느 말 하나도 소중하지 않은 게 없다.

길바닥에 뒹구는 돌 하나 잡초 한 포기도 거기서 구를 수밖에 없는 사정이 있듯이 말이다. 처음 요양보호사 일을 시작하면서 말이 통하지 않아 많은 갈등 속에 내가 과연 이 일을 직업으로 해낼 수 있을까 하고 포기하려고도 했다.

그런데 한분 한분 거듭할수록 나에게 마음의 근육도 생기고 어르신들에 대한 이해도가 넓어지면서 자신감이 생겼다. 어떤 모습의 어르신도 그럴만한 이유가 있다고 생각하게 되었다. 그리고 가슴으로 재해석해 보면 긍휼의 대상으로 다가온다. 한 인생이 태어나서 짧다면 짧지만 매 순간을 선택으로 이어져 백년 가까이 살아 왔다면 그것은 결코 쉬운 일이 아닌 것은 분명하다. 참으로 인생은 위대하다.

내가 어르신에 대해 불만족스러울 때 어르신은 나에게 어떤 요양보호사이기를 원할까를 생각해 본다. 그리고 내가 후일에 요양을 받는다면 원하는 것은 무엇일까도 생각하게 된다. 그러면 지금 이 일을 어떻게 허술하게 할 수 있을까 싶어진다.

1화 고마운 안경점 사장님

50대 후반부터는 요양보호사 일을 하면서 지낸다. 이 일은 여러 사람을 만나서 서로 상호 작용을 하다 보면 밀착 관계가 되어서 숨겨 놓았던 비밀스러운 이야기도 할 수밖에 없다.

맨 처음 만난 분은 권송례라는 분이다. 성질이 괴팍하고 품행이 불손해서 요양보호사를 1년 만에 7명이나 쫓아내고 등록된 요양보호센터마저 바꿔 버리는 그런 분이셨다. 젊어서부터 술장사를 하시고 노래방을 하시던 중에 어느 가을날 술을 잔뜩 먹고 새벽에 들어와 불기도 없던 찬방에 쓰러져 자다가 뇌졸증이 왔다고 한다. 반신이 움직이질 않아서 날마다 한의원에서 침을 맞았다.

침을 맞으면서도 한의원 원장님을 편하게 대하지를 않

고 계속해서 이죽대고 따지기를 반복하니 나중에는 원장님이 응대도 안해주고 침만 꽂아주고는 병실을 나갔다. 그러기를 한 달정도 하더니 자기가 무시당한다는 것을 느꼈는지 그 한의원에 내원을 끊고 다른 한의원으로 옮겼다.

거기로 옮겨서도 자기 생각대로 침놓기를 요구했지만 거기 원장님은 처음부터 듣지 않았다. 남자 분인데 아무리 여기저기 짚어가며 침을 놓아 달라고 요구를 해도 기본 5대 정도로 끝을 냈다. 더 요구해도 그 부분에 침을 놓으면 다른 곳에도 영향이 간다면서 한마디로 거절하기 일쑤였다. 며칠을 다녀봤지만 뜻대로 안되니 짜증만 늘고 몸은 더욱 개운치 않은 느낌이 든다고 한다. 그렇게 그 한의원도 나오게 되었다. 조금 더 멀리 있는 한의원으로 옮기자니 아픈 다리와 불편한 팔을 가지고 지팡이에 의지해서 걷는다는 건 도무지 쉬운 일은 아니었다.

여기저기 마음에 들지않아 이틀 동안 집에 있어 보니 참을 수가 없어 자존심 탁 네려놓고 처음에 진료 받았던 한의원으로 돌아 갈 수밖에 없다고 생각했나 보다. 겸연쩍은 표정을 하고서 다시 그 한의원을 찾아갔다. 그러나 노련한 한의원 원장님은 얼굴 표정 하나 흐트러짐없이 완벽한 미소로 반겼다. 서로의 필요에 딱 맞는터라 처음 만나는 환자처럼 아무 선입관도 없이 시작하는 관계로 부드럽고 상냥하게 맞아주는 연출은 완벽했다.

그러나 굽히고 다시 돌아온 입장으론 예전처럼 갑질

모드는 양심상 허락되지 않는지 원장님이 알아서 놓아 주는 침만으로 참았다. 그렇게 며칠은 잘 견디어 주었다. 그러나 타고난 천성인 성격을 버릴 수는 없지 아니한가? 날마다 조금씩 요구 사항이 늘어나기 시작했다. 하지만 예전과 같은 형태의 조롱과 빈정거림으로는 더 이상 승산이 없다고 생각했나 보다. 이제는 병원비에 시비를 걸었다. 그 병원은 2,500원을 진료비로 받았는데 1,000원을 깍아 달라고 요구하기 시작했다. 다른 병원에서는 65세 이상 노인 감면으로 병원비를 1500원을 받는다는 것이다. 날마다 그렇게 요구하니 병원 원무과 직원이 아주 곤욕스러워 했다.

그 날도 그 어르신이 또 원무과에 항의하고 있었다. 한의원 원장님이 지나가다 그 광경을 보게 되었다. 잠시 지켜보다가 돈 2,500원을 가져와서 어르신에게 건네주면서 "안녕히 가세요 다음부터는 1,500원 받는 의원으로 가시면 됩니다" 하고는 인사를 하며 피해버렸다.

순간 당황한 어르신은 할 말을 잊었는지 멍하게 있다가 원장님한테 받은 돈을 다시 원무과 직원에게 내어주며 다시 올거니까 내일부터 깍아 달라고 부탁을 하고 병원문을 나와 버렸다.

집으로 돌아온 어르신은 갑자기 썼던 안경을 벗어서 닦아 달라고 내밀었다. 안경을 받아보니 차라리 끼지 않는게 낫겠다는 생각이 들 정도로 상태가 안 좋았다. 물에 씻어서 물기를 닦다가 그만 안경테 코걸이 부분의 나사가 빠지면서 프라스틱 코걸이가 부서지고 말았다. 옆에서 지켜보던 어르신은 큰소리로 안경을 망가뜨렸으니 다시 사 놓으라고 닥달하기 시작했다.

나는 너무도 어이가 없고 황당해서 같이 소리를 질렀다. 20년은 족히 사용한 안경을 나한테 덤테기 씌우지 말라고 사람이 일말의 양심도 없이 지금까지 살아도 되는거냐?' 라고 말하려는 순간 멈춰야 겠다는 생각이 번뜩 들었다. 괜히 나한테 모든 불만을 쏟아 부을 돌파구를 만들어주면 이때구나 싶어 쓰러지기라도 한다면 큰일이기 때문이다.

그래서 안경점에 가서 고쳐 오겠으니 기다리시라고 조금은 상냥한 어조로 말한 뒤에 얼른 대문을 열고 나왔다. 대문앞에서 길게 한숨을 쉬고 안경점으로 갔다. 안경점 사장님한테 안경을 보여드리며 사정 말씀을 드렸다. 사장님은 이렇게 오래된 안경은 쓰레기통에서도 찾기 어려울 정도로 낡아서 지금까지 사용한 것이 용하다고 했다. 안경테에 붙어 있는 코걸이 거치대를 떼고 새 것으로 교체해 주시면서 20년은 더 써도 되겠다고 농담을 하셨다

수리비를 드리려고 했더니 노인 돌보는 좋은 일을 하는데 자신도 숫가락 하나 정도는 얹어야 하지 않겠냐며 극구 사양하셨다. 고맙다고 인사드리고 나오면서 생각했다. 이대로 권송네 어르신을 더 돌보다가는 모두 뒤집어

쓸 것 같았다. 그러다 꼬투리가 잡힐 일이 생기면 지금까지 남들을 괴롭힌 일이 모두 다 내 몫으로 돌릴 것 같았기 때문이다. 그 순간 심장이 쿵쾅거리고 머리끝이 서늘해져 왔다.

어르신 집에 돌아오니 방에 누워 계셨다. 용기를 내어 어르신 얼굴에 안경을 씌워주면서 "어때요 잘 맞죠? 완전히 새 안경이 되었네요" 하면서 기분을 맞춰주었다. 권송례 어르신은 조금은 미안했는지 아무 말 없이 안경을 벗어서 살펴보았다. 그 집 마당을 나오면서 말씀드렸다. "저는 내일부터 출근하지 않으니 다른 사람을 구하셔요." 당황한 어르신은 아무 말도 못하고 인사도 받지 않았다. 그렇게 그 집을 나와서 다시는 가지 않았다

2화 영어로 말해요

그렇게 치음으로 시작한 요양보호를 한 달 20일로 끝내고 나니 이런 일을 직업으로 계속할 수 있을까 하는 의구심이 생겼다. 그래서 다른 직장을 더 찾아보려고 고용노동부에서 제공하는 일자리 싸이트를 이잡듯이 날마다 검색하면서 가능한 곳을 체크해 나갔다. 고용보험은 끝났지만 무서운 건강 보험은 기존 직장에서 내던 금액으로 더 버틸 수 있으니까 그나마 안심 이었다.

그렇게 이틀도 지나지 않아 구청에서 일자리를 알선해 주는 담당자가 전화를 했다. 이번에도 돌봄 일자리에서 요양 보호사를 뽑는다는 것이다. 나는 순간 머리가 찌끈했지만 '놀면 뭐하나?' 하는 나의 근성이 이성을 앞질렀다. 어떤 환경인지 물어보니 알츠하이머로 쓰러져서 입원했다가 퇴원하신 지 1주일째고 거의 꼼짝 못하고 누워 계신다는 것이다. '아! 말을 하지 못하니 사람을 괴롭히지는 않겠구나' 하는 합리화로 살짝 나를 마취시키고는 하겠다고 나섰다. 센터장이랑 연락을 했다. 어르신이 운전 기사랑 집안 일하는 중국 교포 한 분이랑 셋이서 지낸다고 한다. 운전 기사는 출퇴근을 하기때문에 일요일은 쉰다고 했다. 그래서 일요일도 일을 하라고 했다. 하지만 나는 일요일에 교회에 가서 예배를 드려야 하기 때문에 주중에만 하겠다고 말씀드리고 시작했다 .

면접을 보러 갔더니 고급 안마 의자에 누워 계셨다. 인사를 했는데 영어로 대답했다. 얼굴도 콧날이 오똑 솟았고 눈도 짙은 쌍거풀에 오목하게 들어갔다. 얼핏보면 바비인형같은 서양 할머니 모습이었다. 이름은 천주교 세례명 마리아였다. 성씨를 붙여서 부르면 송마리아다. 놀라는 나를 본 가사도우미 아주머니가 자초지종을 알려준다. 어르신이 병원에 한달간 입원하더니 치매가 심해져서 우리말을 잊어버리고 평상시 잘 쓰던 영어로만 말해서 알아듣지 못해 본인도 많이 힘들다는 것이다. 참 특이한 경우다. 태아때부터 듣고 배웠던 우리말을 그렇게 잊을 수가 있을까 많이 의아했는데 나중에 사정을 들어보니 이해가 됐다.

남편이 지병으로 오랫동안 고생하시다가 돌아가시고 홀가분해진 송마리아님은 평생 대학원에 등록해 영어교육을 받으며 공부에 전념하셨다고 한다. 그래서 평상시에도 영어로만 말하는데 집에서는 같이 대화해 줄만한 사람이 없으니 혼잣말을 많이 하셨다고 한다. 그 당시 상태로서는 인지도가 많이 떨어져 있고 혼자서는 보행이 힘들었다. 무엇보다도 입맛이 없어서 음식을 통 드시지를 않으시니 기운이 더욱 없고 회복이 느릴수 밖에 없겠다 싶었다. 하지만 일단 해보기로 했다.

다음 날부터 출근을 해서 상냥하게 인사를 하고 어르신도 인사를 하시도록 했다. 저는 누구입니다라고 말씀드리면 어르신도 "나는 누구입니다." 이렇게 서로 인사 시간을 가지면서 분위기를 바꾸었다. 그렇게 너와나는 평등한 관계라는 걸 의식적으로 인정하게 했다.

그 분은 언제나 자신이 위에 있어서 옆에 있는 사람을 내가 부리는 사람으로 인식이 굳어 있었다. 내가 있을 때는 잘 따라하다가도 내가 돌아간 뒤에는 자존심이 많이 상하셨는지 내 흉을 보셨다고 가사도우미 아주머니가 일러 주었다. "지까짓게 뭐라고 나더러 이래라 저래라 하냐"고 불평을 하신다는 것이다. 그도 그럴것이 주변 사람들은 모두 자신에게 사모님이라고 호칭하면서 말 한마디만 해도 순응했기 때문이다. 하지만 나는 어르신으로 부르고 잘못된 건 잘못 됐다고 단호하게 말했다. 잘 못된 것은 고치라고 요구하고 만나고 헤어질 때 같이 인사를 하니 아니꼽게 보였던 듯하다.

그렇지만 나는 굽히지 않고 시종일관 같은 자세를 유지했다. 날마다 따뜻하게 샤워를 시키고 머리단장을 해드렸다. 항상 화장도 잘해 드리고 옷도 화려하게 코디해 입혀 드리면서 젊었을때 여행을 다녀왔을 만한 해외여행지 이야기를 들려드렸다. 거기 특성과 좋았던 곳을 말하게 하면서 옛날 즐겁게 살았던 일을 회상시켜 드렸다. 그러다 보니 영어로만 말하던 습관이 우리말로 바뀌었다. 많은 단어와 수식어가 들어가는 언어로 바뀌니 당연히 영어로는 다 표현할수 없었기 때문이다. 여행지에서 맛나게 먹었던 음식을 얘기 하다가 그 음식이 먹고 싶어지면 기사분을 대등하고 사먹으러 가기도 하면서 조금씩 기력을 회복해가기 시작했다. 일어나 걸을 수 있게 되자 동네 의원에서 도수 치료를 시작했다.

옷들을 꺼내입고 악세사리를 꺼내서 치장을 하고 즐겨불렀던 팝송도 같이 불렀다. 그러다가 남편을 만나 연애하던 시절 이야기, 직장 다니던 이야기등 말 수도 많아졌다. 그렇게 날마다 우울하게 지냈던 나날은 뒤로하고 다른 모습으로 변해가고 있었다. 어느날 며느리가와서 보더니 너무 놀라워 했다. 한달 반정도 지났는데 마치 다른사람인 것처럼 변했다는 것이다. 자식들은 이 번에 어머니가 돌아가실 줄 알았는데 이렇게 다시 소생해서 50대 어머니처럼 활기차 보인다면서 나를 칭찬했다.

그 때 그 광경을 지켜보던 운전기사의 속이 부글부글 끓고 있다는 걸 미처 몰랐다. 가사도우미 아주머니가 중국교포분이라 한식을 맛깔나게 못하니 김치랑 웬만한 건 반찬가게에서 사다 먹는 형편이라 옛날사람인 어르신 입맛에 잘 맞을 리가 없었다. 더욱이 입맛 까다롭기로 정평이 나 있던 분이라 더했다. 신장이 좋지 않은 상태라서 당신이 좋아하시는 단짠단짠한 음식은 더더욱 안되니 식사 때가 아주머니에게는 고통으로 다가왔다.

내가 우리집에 있던 물 김치를 가지고 갔는데 어르신이 너무 맛있다고 김치랑 밥을 많이 드셨다. 처음 계약 조건은 가사도움은 하나도 없이 어르신만 돌보기로 돼 있었는데 가사도우미 아주머니가 나한테 반찬좀 해달라고 사정을 했다. 그동안은 운전기사가 반찬을 사왔는데 내가 반찬을 거들기 시작하면서는 시장볼 일이 없으므로 핑계삼아 밖으로 나갈 일이 없어진 것이다. 하루종일 할 일없이 지낸다는건 지루하기도 한데다가 자식들이 간간이 찾아와 요양보호사를 칭찬하는 소리를 들으니 근무 30년이 넘은 자기의 공은 알아주는 사람없고 겨우 두 달도 안된 요양보호사만 공을 드높이니 속이 부글부글 끓고 있었던 것이다.

어느 날은 김치를 담글려고 배추를 절여 놓았다. 김치는 담궈야 하는데 아주머니는 이러지도 저러지도 못하고 안절부절하며 운전기사의 눈치만 살피고 있었다. 운전기사가 가사 도우미 아주머니를 불러서 내가 김치를 못담그게 하라고 지시를 내렸다는 것이었다. 난 의아해서 웬일이냐고 물었더니 아주머니도 잘 모르겠다고 했다.

운전 기사는 자기 재량으로 가사도우미 아주머니를들이기도 하고 자기 마음에 안들면 내보내기도 했다. 그 집의 생활비 일체를 자기 주관으로 사용했다. 물론 비용은 어르신의 아들한테 타서 쓰지만 자기가 어르신을 외식시키고 싶으면 시키고 미용실에 가서 머리 손질과 손톱 손질 피부미용등 자기 마음대로 했다. 가사도우미 아주머니도 철저한 관리를 했다. 아주머니의 일거수 일투족에 잔소리와 갑질을 일삼고 있었다. 그런데 처음으로 외부 사람인 내가 오니 이것저것 눈치를 보게 되었는데, 주인한테 인정까지 받는것을 보니 큰 스트레스로 견딜수가 없었던 것이다 .

이제는 송마리아님도 많이 회복되고 아쉬울 것이 없다고 생각한 운전기사는 머리를 쓰기 시작했다. 하루는 출근을 해서 출입문 벨을 아무리 눌러도 문을 열어주지 않고 전화를 해도 받지 않았다. 그 다음은 운전기사한테 전화를 몇번이나 해도 안 받아서 드디어 올것이 왔구나 하는 예감이 들었다. 그 다음에는 가사도우미 아주머니에게 전화를 했더니 아주머니는 집에 휴가를 갔다고 한다. 운전기사가 아침에 출근을 하더니 느닷없이 아주머니에게 1박2일로 집에 갔다가 오라고 해서 서둘러 나왔다는 것이다 .

너무도 어이가 없어서 관리센터에 전화를 해서 사정을 알렸다. 어르신의 보호자는 운전기사로 되어 있고 아들의 연락처는 없었다. 이것으로 송마리아님과 인연은 끝이 나고 말았다. 나중에 가사 도우미 아주머니한테 그가 얼마나 치매 어르신을 마음대로 주무르고 집 안 일은 자기 이로운 대로 하는지에 대해 듣고 놀라움을 금할길이 없었다. 그가 우리 음식에 자신이 없는 사람을 선택하는 데는 이유가 있다는 것이다. 반찬가게에서 반찬을 살 때 자기 집에서 먹을 것까지 사고,김치라도 사러 나가면 하루 종일 있다가 돌아온다고 했다. 어르신을 겉으로만 위하는 척 한다는 이야기다. 이런 일을 가사도우미가 눈치채면 가차없이 자기 마음대로 구실을 만들어서라도 내보낸다는 것이다

이렇게 두번째 어르신도 끝나고 이제 세번째 이야기로 이어볼까 한다.

3화 여기가 어딘가요?

이번엔 전순희 어르신 이야기다. 인지 등급으로 날마다 새로운 이벤트를 일으키는 어르신이다. 이 분은 우리 큰아이 초등학교 동창생의 할머니로 며느리가 직장에 다니고 대신 손주를 돌보시느라 학교에서 자주 만나는 분으로 아주 적극적이고 활달한 성격의 소유자로 우리 젊은 엄마들의 이미지는 할머니가 무슨일이든지 적극적으로 참여하고 약간은 안하무인식으로 자기 손자 위주로만 행동하시고 우월감을 표출 하시기도 해서 약간은 회피하는 분이셨다. 그 분을 대하니 예전 생각이 떠올라서 만감이 교차했다.

사람 팔자 예측한 수 없구나. 젊을때는 자기 우월주의로 주변 사람들에게 길거리 에서 라도 마주치지 않았으면 하는 감정을 자아나게 했었구만, 지금은 치매 노인으로 초라하게 내앞에 있는 것이다. 인사를 드리니 못 알아보는 눈치셨다. 여기가 어디냐고 자꾸 물으셨다. 오랫동안 살던 집인데도 낯설었던 모양이다. 어르신 집이라고 말씀을 드려도 믿지를 못하고 또 묻고 또 묻고를 반복해서 첫날은 그 대답만 계속하다가 생각을 했다. 내가 어르신 집주소를 물어보았다. 그랬더니 기억력이 좋았던 어르신은 망설임없이 주소를 말해 주어서 그것을 두꺼운 표지에 적었다. 또 물어서 내가 여기 집주소는 0 0 0 인데 여기가 어딜까요? 하니 그건 우리집주소인데 하시는거였다. 그러니까 여기가 어딜까요? 하고 물으니 우리집이지 라고 대답해서 맞아요. 여기는 전순희씨집이랍니다. 그럼 어르신은 어느 방을 쓰셨어요? 했더니 다행히도 쓰시던 방을 기억해 내셨다. 거기에는 어르신이 시집올 때 세간 살이로 해 오셨던 나비장이며 문갑 사방자 이런 것들이 그대로 진열돼 있어서 잘 기억하기 수월한 것 같았다.

그 당시 어르신 친정집은 충주에서 어지간히 부농집 따님으로 자랐는데 서울로 시집오는 딸의 혼수를 배에 싣고 충주를 지나 남한강을 타고 올라오다가 한남동 선착장에 내려서 짐을 실어 나르는 탈 것에 실어 시집으로 옮겼다고 하셨다. 이렇게 기억된 옛 일을 시작으로 친정아버님이 가을에 농사지어 논곡식이며 밭곡식등 식량이 될 만한 것을 바리바리 배로 실어 나르던 기억을 떠올리며 웃기도 했다가 부모님이 그리워서 울기도 하시면서 차츰 차츰 기억이 확실해지더니 집이 낯설지가 않아졌다.

그 동안 장소 불안으로 오던 휴유증이 점점 사라지면서

여기가 어디냐고 물어보는것도 잊어버리고 밖으로 나가려던 것도 잊어버렸는데 자꾸 옷을 벗는 일이 벌어졌다. 그것은 보통 곤란한 일이 아니었다. 지키는 사람만 없으면 옷을 벗고 알몸으로 있어서 혹시 누가 방문했다가 목격이라도 한다면 어쩔까하고 가족들이 노심초사했다. 어르신의 추억속에 뭐가 있을까 궁금해 하고 있을때 골방에 놓여있던 서랍장에서 오래된 앨범을 찾았다. 그 속에는 60년대에서 70년대쯤으로 보이는 사진들이 들어 있었다. 어르신의 친정 부모님들 결혼사진부터 어르신의 결혼 사진까지 아주 옛 추억 뭉치였다. 어르신 앞에 펼쳐 놓고 한장 한장 보여드리면서 설명을 들었다.

어르신의 어릴 때 추억은 너무나 행복하고 활기에 넘쳤다. 그래서 자존감이 높으신가 보다 생각이 들었다. 그렇게 자란 분이 결혼을 했는데 남편분은 전통적인 유교사상에 젖어있는 권위적인 분이셨다 한다. 직업은 구청 공무원으로 명패까지 보관하고 계셨다. 한참을 남편 자랑을 장황하게 하시더니 남편이 바람 피우던 이야기로 넘어갔다. 직장 근처 여관은 다 가봤을거라 하셨다. 나도 어르신 성격상 그냥 가만히 앉아서 내 운명이거니 하고 있을 분은 아니었을 거라고 짐작은 가지만 어린 아이를 업고 큰 아이는 걸려서 이 여관 저 여관을 다녔다니 그 열정도 대단하다.

어느날은 다급해진 남편이 여관집 뒷문으로 나와 담장을 넘다가 남의 집 마당에 있던 나뭇가지에 걸려 바지가 찢어져 속옷이 다 보이는 채로 시내로 도망 갔다고 했다. 아이를 업고 걸리고 한 어르신으로선 도저히 따라갈 수가 없어서 집으로 돌아와 있으니 남편이 옛날에 여자들이 일복으로 많이 입던 몸베 바지를 어느집 빨래줄에서 벗겨 입었는지 입고 대문에 들어오는데 얼마나 웃음이 나오던지 분한 마음은 어디로 가고 데굴데굴 구르면서 웃다가 말았다고 했다. 그 이야기를 하실 땐 지금도 웃음이 나오는지 눈에서 눈물이 나올 정도로 웃으셨다. 그 날은 그쯤에서 시간이 되어서 끝났다. 잘 웃고 즐거운 시간을 보내고 그 다음날 또 추억 여행은 시작되었다. 그 옛날 앨범을 보며 이야기 꽃을 피우다가 문득 내 앞에서 몸서리를 치더니 나한테 소리를 지르기 시작했다. 옷입으라고. 나는 순간 당황해서 어떻게 해야할지 몰라서 미안하다고 말했다

어르신 잘 보세요. 저 옷입었어요. 하면서 벌떡 일어서 보여 드리면서 누가 옷을 안입은 적이 있었어요? 하고 물으니 그 여자가 그랬다는 것이다. 뭔가 있구나싶어서 일단 진정시키려고 과일을 깍아서 드시게 했다. 오늘도 여기서 마무리짓고 다른 분위기로 돌리기로 하고 보던 앨범은 어르신이 못보게 제자리에 갔다놓고 꽃밭이 있는 앞마당으로 모시고 나가 화단을 만든 일이며 무슨 꽃을 좋아하시는지 꽃이름 말하기를 하며 기분을 안정시키고 돌아왔다.

그렇게 어느 정도 지나면서 서로 신뢰가 많이 쌓이고 날마나 즐거운 이야기를 하며 잘 지내고 있는데 하루는

며느리가 말하기를 시어머니가 낮에는 그런 일이 없는데 아침에 식사를 드릴려고 방에 가면 이불속에서 옷을 벗고 계시는 일이 두 번이나 있었다고 했다. 그래서 아침에 아무도 어머니방에 못들어가게 하고 본인만 들어간다고 했다. 옷을 입으면 불편감을 느끼는걸까? 물어보면 언제 옷을 벗었냐고 그런 적이 없었다고 역정을 내셔서 더 이상 입밖에 내지 않기로 했다 .

그렇게 노래도 잘 부르시고 옛날 일제 강점기때 학교생활. 마을에 돌아다니던 일본 순사 이야기, 가을에 농사를 지어 놓으면 집안을 이잡듯이 뒤져 곡식을 빼앗아 가던 기억, 하다 못해 길삼을 해서 짜놓은 삼베나 모시. 명주비단까지 들키기만 하면 가차없이 빼앗겼던 설음도 이야기 하시면서 그 동안 사용하지 않았던 일본말을 많이 쓰시더니 점점 일본말 양이 늘어났다.

그러던 어느 날 멀리 사는 둘째 딸이 외국 유학갔던 딸이 방학을 맞아 집으로 왔는데 외할머니한테 인사차 엄마랑 방문했다. 어르신은 손녀 딸을 보자 저년이라고 소리를 지르시면서 빨리 옷이나 입으라고 호령을 하셨다. 함께 있던 모든 사람들이 당황한 나머지 손녀딸 이름을 가르쳐 주면서 어르신의 기억력을 되살리느라 안간힘을 썼다. 어릴 때 외할머니와 함께 했던 여러가지 일을 최대한 쉽게 이야기해 할머니의 기억력을 되살리는데 안간힘을 쏟았다. 사위가 외교관으로 근무하던 시절 외할머니를 초청해 여행했던 이야기며 활달한 할머니가 여행온지 얼마 안돼 이웃의 외국인 할머니와공원에서 친구가 되어서 일으킨 재미있는 에피소드등을 이야기하다 보니 어느 새 부분적인 기억을 찾아서 눈앞에 있는 아가씨가 손녀딸이라는 것을 인식하기 시작했는지 손녀를 못알아 봐서 미안하다고 눈물을 글썽이며 사과했다.

그러고 나시더니 옛날에 남편 외도하던 이야기를 꺼내서 인생에 가장 충격으로 남아있던 이야기를 꺼내 놓으셨다. 그 날도 밤이 늦도록 돌아오지 않은 남편을 찾아 나섰는데 마치 집에는 여동생이 언니 집에 다니러 와 있어서 아이들을 맡기고 홀몸으로 나섰는데 남편 회사 근처를 이리저리 헤메고 다니다가 길에서 어느 여관에서 일하시는 아주머니를 만났다고 한다. 하도 바람피우는 남편 소탕 작전에 여러 날을 보내다보니 그 동네에서는 알게 모르게 그 시절 같은 동질감을 가졌던 여인네들의 측은지심의 마음으로 동녀자가 생겨서 제보를 전해주는 사람들이 있었다고 한다.

그 날도 어두운 저녁 늦은 시간에 일을 끝내고 집으로 가는 길인 아주머니가 당신 남편이 어떤 젊은 아가씨랑 여관 어느 방에 들었다는 제보를 해줬다. 피가 거꾸로 솟는 전율을 느낀 어르신은 무조건 여관 대문을 열어 젖히고 남편이 묵고있는 방으로 뛰어 들어가니 미처 여관측에서는 속수무책으로 방어가 뚫리고 투숙객은 얼이 빠지고 말은 셈이 되고 말았던 것이다.

그때 남편은 눈에 들어오지도 않고 상대 아가씨가 알몸으로 누웠다가 얼이 나갔는지 그냥 멍하니 바라보더란 것이다. 머리채를 움켜쥐고 빨리 옷입으라고 소리를 지르는데 급한 남편이 달려들어 자기를 문밖으로 끌어내자 여관에서 남자들이 몇명이 달려들어 밖으로 밀어내고 대문을 잠갔다고 했다. 그 다음에는 땅바닥에 쓰러져서 "택시를 불러주세요" 하며 소리를 질러대니 누군가가 택시를 붙잡아줘서 집으로 돌아오셨다고 했다. 다음날 여동생하고 아이들을 데리고 충주 친정집으로 갔다. 사정을 들은 아버지가 하룻밤만 묵고 집으로 돌아가라고 하셨다. 남자들은 한때 다 그러는 것이라고 친정에 아주 올거면 자식들 다 떼어 놓고 오라고 하셨단다. 너무도 기가막힌 순희씨는 그다음날 당장 아이들을 데리고 올라왔다.

그 충격으로 다시는 남편 뒤를 밟는 일을 멈추고 자식들을 봐서라도 그냥 살기로 했다고 한다. 그렇다고 평생 팔자 타령만 하면서 남편을 원망만 하고 살기에는 자신의 인생이 아깝고 타고난 성격은 외향적인 데다가 사회적인 감각도 뛰어나고 풍류를 즐길만한 경제적인 여유도 있으니 그냥 죽은듯이 살아가기에는 억울했을 법도 했다. 치마바람을 날리며 교육에도 열을 올렸고 학교에서 사귀게 된 학부모들 모임이나 선생님들 모임도 만들고 동네 동사무소를 중심으로 주민자치모임등 다양한 삶을 전개하면서 집에서도 자주 음주가무를 곁들인 활동적인 삶으로 돌아섰단다.

지은 죄가 태산같이 많은 남편은 아무런 대응도 못하고 수긍할 수밖에 없어서 죽은 듯이 조용히 살다가 병으로 돌아가셨다고 했다. 일본말을 유창하게 구사하는 어르신은 일본과도 교류가 상당했단다. 평상시 우리말 반 일본말 반 섞어서 쓰다보니 그 집 가족들은 자연히 일본말에 능했다. 이런 인생 최대의 상처로 옷을 벗는 일이 생긴 것이 아닌가 생각되어 졌다. 현명하신 어르신의 인생 역전은 상처로 굴곡진 삶에 머무르지 않고 즐겁고 유쾌한 삶으로 승화 시키므로서 좋은 부모 멋진 부모로 자식들한테 기억될 것이다. 그 후 어르신은 치매가 급격히 진행되어서 양로원에 잠깐 계시다가 돌아가셨다.

4화 저승으로 보내야 할 의자

또 다시 네 번째 이야기는 이순임 70대 초반의 젊은 어르신의 이야기를 시작하겠다. 그 해는 이상기온으로 5월 달부터 매우 높은 온도로 지구를 달구기 시작하더니 7월에서 9월까지 살을 익히는것 같은 강렬한 햇볕으로 초죽음을 경험했던 해라서 나의 기억속을 떠나질 않고있다.

4월 어느날 면접을 갔는데 젊은 분이셨다. 체격도 작으시고 성격도 온순해 보여서 호감이 갔다. 방 한구석에 하루종일 가만히 누워만 계신다고 했다. 연세가 젊으니 얼굴은 그렇게 나이들어 보이지 않는데 힘없이 누워서 귀지기를 차고 소변줄을 달고 계셨다. 신장염으로 수술을 하시고 요양 병원에 계셨다가 집으로 모시고 온지 일주일이 되었다고 했다. 거주하시는 곳은 막내딸 집에서 딸가족 세명이랑 함께 사시는데 한옥집 건너방에서 할아버지랑 거주하고 계셨다. 어르신의 상태는 식사도 웬 만한건 가리지 않고 잘드시는 편이셨다. 정말 주지않아 못먹고 못봐서 못먹고 없어서 못먹을정도로 비록 근력이 없어 누워계셔도 간병만 잘해드리면 머지 않아 일어나실것 같았다. 그러나 같이 사는 딸은 늘 바쁘다고 나가고 집에 있을 때는 아들 친구나 부모까지 불러서 음식을 시켜서 먹고 노느라 부모님 식사준비는 등한시 하는것 같았다. 내가 근무할 시간에도 드셔보라고 간식 한번 내오는 경우가 없었다

나는 점심 식사전에 퇴근을 하니까 자세히는 아는 바가 없었지만 분위기를 보면 먹을것 하나 가져다 드리는 걸 보지 못했다. 어르신은 늘 힘없이 누워계셨다. 출근하다가 마당에서 직장으로 출근하는 사위를 몇 번이나 마주친적이 있다. 그는 늘 장모님 계시는 방쪽에서 반대 방향으로 고개를 돌리고 나가는 것을 볼 수 있었다. 얼마나 싫으면 저럴까 하는 생각이 들 정도다. 잘 다녀오겠다고, 좀 어떠시냐고 안부를 물어보고 관심을 가져주면 좋으련만 한 집에 살면서 고개도 돌리고 다닐 정도라면 어느 정도인지 가늠할 수 있었다.

나는 어떻게 되어서 막내딸 집에서 살게 되었는지 궁금해서 가끔 한 대목씩 어르신께 물어봤다. 어르신은 서울 시청 주변에서 부부가 함께 김밥집을 하셨단다. 그러시다가 신장염으로 수술을 하게되어 하던 김밥집일을 접고 모아 놓았던 돈을 막내딸의 자금과 합쳐서 낡은 한옥집을

샀다고 한다. 그렇게 새로 리모델링을 해서 들어온게 지금 살고 있는 집이다. 어르신은 슬하에 딸만 셋을 두었는데 큰 딸은 가까운데서 식당을 하고 둘째 딸은 지방에 살고 있어서 못온다고 한다. 내가 있을 동안두 딸을 본 적이 없다.

한번은 어르신이 따뜻한 숭늉이라도 드시고 싶다고 하셔서 주방에 가서 쌀을 찾으니 냉장고에 유기농 현미쌀 500g짜리가 전부였다. 어쩔 수 없이 현미 숭늉을끓여 드린 적이 있다. 가끔씩 남편분이 시장에 가서 김밥이나 초밥을 사다가 드리는데 그게 거의 전부가 아닐까 싶다. 한옥 집 안채에는 딸이 살고 어르신 부부는 문간방에 계시니 간이 화장실로 좁게 만든 공간에 목욕의자 하나 놓을 데가 없어서 변기에 앉으시게 하고 샤워를 시켜 드렸다.

처음에 면접볼때 대소변은 혼자 보신다고 해서 안심하고 있었다. 하지만 와서 보니 거짓말을 한 거였고 목욕도 딸이 시킨다고 했었는데 그것도 사실이 아니었다. 일주일에 한번씩 남편이 씻겨줬다고 했다. 이제 와서계약 위반으로 그만두기에는 어르신이 불쌍해서 그럴수는 없었다. 날씨는 점점 더워지고 침대에만 누워있는 분을 그냥두기가 죄송스러워서 날마다 샤워를 시켜드리고 옷을 갈아 입혔다.

딸에게도 어머니가 좋아하시는 과일이든지 음식을 아낌없이 해드리 라고 볼 때마다 일러주어도 한번도 실천하는 걸 보지 못했다. 오죽하면 진짜 자식들 낳아 기르신 것이 맞냐고 물어 보기도 했다. 어느 날은 팥죽이먹고 싶다고 하시는데 그 집에서는 해 드릴 게 아무것도 없지 않은가? 내가 우리집에서 손수 팥죽을 끓여다드렸더니 오랫 만에 실컷 드셨다고 고마워 하셨다.

어느 날은 시원한 수박을 드시고 싶다고 하셔서 딸한테 수박 사오라고 일러 주었다. 그때가 여름 장마가 지나고 얼마 안된 시기라서 하루가 다르게 수박값이 껑충껑충 뛰어 올랐다. 시장에 갔던 딸은 빈손으로 돌아와서는 너무 비싸서 못사왔다고 했다. 자식으로서 그럴 수도 있을까 싶었다. 연일 아들 친구의 부모들까지 초청해서 피자며 치킨이며 시켜먹고 비싼 외제차를 몰고 다니면서 아들은 우리 동네에서 제일 교육비가 비싼 사립학교를 보냈다. 그렇게 살면서도 엄마를 위해서 수박이 비싸서 못사오다니, 그것도 아픈 부모님이 드시고 싶다는데... 요즘은 모두 딸 열풍이 불어 결혼을 해서 자식을 낳으면 딸부터 낳고 싶어 하지 않는가? 딸을 낳으면 로또라고 하는 사람들도 있는 실정인데 이 어르신의 딸들같다면 없는게 더 낫다는 생각이 들 정도였다.

더욱 내가 분노를 하게 한 날은 다음 부터다. 수박이비싸서 못사온 다음날 아침에 출근을 했더니 딸네 가족이 여름 휴가를 떠나고 없었다. 적어도 집을 비울 때는 나에게 알려줘서 다녀올 동안에 아픈 분이 불편하지 않게 잘 준비해 놓아야 되는데 먹을 것도 준비 안해놓고 그냥 가다니 만약 위급한 일이 있을지도 모르는 일 아닌가? 아무 말없이 어디서 얼마나 있다가 온다는 말도 없이 아침에 떠나면서 휴가갔다가 온다고 했다는 것이다. 너무 황당했지만 젊은 사람들이니 그럴 수 있겠지 라고 생각 하기로 했다. 그러나 아픈 엄마도 계시니까 하룻밤이나 묵고 돌아오겠지 생각했다. 역시 집에 어르신이 드실 건 아무것도 없어서 남편분한테 음식을 사오시라고 해서 드시게 했다. 남편 분 한테도 말씀을 드려서 지금 어르신이 잘드셔야 이 더위도 이겨낼 수 있으니 돈을 아끼지 말고 열심히 음식을 사오라고 했다. 그러나 남편분도 주변 머리가 없는지 돈이 없는지 적극적이지 않아서 답답했다. 나도 집에서 팥죽을 또 끓여 가지고 가서 드리고 하면서 이틀째가 지나서 내일은 딸네 가족이 돌아오겠지 하고 별 걱정없이 퇴근을 했다.

그 다음날 아침에 출근을 해보니 맙소사 아직도 돌아오지 않은 것이다. '정말 이럴 수도 있구나' 실망이 들면서 자식을 그렇게 키워놓은 어르신이 다시 보였다. 딸이 올린 휴가 일기가 페이스북에 날마다 올라오고 있었다. 장소는 인천 을숙도 해변에서 즐겁게 휴가를 즐기는 모습이 자기들은 보기 좋겠지만 나는 보기가 싫을 만큼 화가 났다. 이 더위에 저희들이 쓰는 안채에는 넓은 방이 세개나 되고 화장실도 넓어서 목욕의자도 놓고 편하게 씻을 수 있을테고 큰 스텐드형 에어컨도 설치되어 있었다. 그런데 오래 되어서 고개가 회전도 안되는 선풍기 한 대로 버티는 이런 딱한 일은 안중에도 없는 것인가? 이웃에서 이런 딱한 일이 있다고 해도 가슴이 쓰릴텐데 어떻게 자기 부모님을 이렇게 방치할 수 있단 말인가? 드디어 딸은 나흘만에 화려한휴가를 마치고 돌아왔다. 돌아와서도 아무런 말도 없이일상 생활을 지속하는걸 보고 사람들이 일반적이지 않아서 미안한 마음이나 죄책감은 아예 없는거구나 생각하니 나도 마음이 편했다.

그러는 사이 어르신의 건강은 점점 쇠약해지고 있었다. 날씨는 연일 38~9도를 육박해서 건강한 사람도 시든 파처럼 휘들어지고 있었다. 딸이 휴가를 다녀온 일주일 뒤에 느닷없이 엄마 아버지를 이사를 시켜야 한다는 것이었다. 엄마가 쓰시던 방은 세를 놓기로 했다는 것이다. 나는 그말을 듣고 방이 작고 화장실도 불편한데다 사위가 얼굴도 돌리고 다닐 정도로 호응을 안해주는 것도 있고 하니 좀 넓고 편한 곳에서 모시려고 하는구나 하고 딸도 마음이 아프겠지 생각하고 잘 생각했디고 거들었다.

마침 가까운 곳에 집이 있어서 계약을 마쳤기 때문에 삼일후에 이사를 한다고 했다. 반가운 마음에 이사갈 집은 어르신들이 쓰시기 편 한집이냐고 물어보니 방하나에 주방이 딸린 지하방이라고 대답했다. 너무 실망스러워 샤워실은 갖춰져 있느냐고 물었더니 없던 화장실을 새로 만든건데 구석에 좁고 길게 되어 있어서 불편하긴 할거라고 아무렇지 않게 대답한다.

아무것도 기대할 것 없다고 낙심하고 목욕의자나 사오

라고 했다. 당장 목욕을 못하면 위험할 수 있으니 지금 이라도 목욕의자도 사고 냉장고며 에어컨이며 필요한 건 다 구비해놓고 이사를 가야한다고 떡먹도록 일러 주었다. 하지만 삼일후에 이사를 가서보니 아무것도 준비한 것 없이 마치 부모님을 어디에다 버리기라도하듯이 덜렁 몸만 모셔다 놓았다. 그 더운날 냉장고도없어서 시원한 물 한모금 마실 수 없었다. 그들은 자식이기는 커녕 인간 이기를 포기한 사람들 같았다. 그것마저도 다른 딸들은 콧배기도 안비치고 막내딸 혼자만 일을 하고 있었다. 아침에 이사를 해놓고 딸은 어디론가 가버려서 시원한 물이라도 사고 식사 준비를 하러 갔구나 싶었는데 오후에 겨우 반찬 도시락 하나를 사서 돌아오는걸 보고 나는 퇴근했다.

그 다음날 가서 보니 마실 물도 없고 에어컨은 고사하고 집에서 쓰던 고장난 선풍기 한대만 갔다 놓았다. 아침밥은 아직도 못드셨고 날마다 샤워를 하시다가 씻지도 못한 채 지쳐서 누워 계셨다. 한참을 나가야 슈퍼마켓이 있어서 땀을 흘리며 가서 찬물을 사다가 어르신을 마시게 했다. 10시가 넘으니 딸이 밥만 해가지고 와서 어제 사온 마른 도시락 반찬으로 부모님을 드리라는 것이었다. 나는 갈수록 기가 막혀서 아무 생각이 나지 않았다.

빨리 목욕의자나 사오라고 했더니 의료기 파는곳에 가봤는데 의자가 바싸서 못 사왔다고 했다. 비싸면 시장에 가서 오천원짜리 의자라도 사오라고 나도 모르게 소리를 지르고 말았다 .어르신의 딸은 기분이 나빴는지 휑하니 나가버렸다. 화장실이 좁고 길게 생겨서 저쪽 끝에 샤워기가 달려있고 이쪽 끝으로 양변기가 있어서 혼자서 서지도 못하는 어르신을 도저히 씻길수가 없었다 그러나 어르신은 날마다 좀 씻기라도 했으면 살 것 같을 것이라고 하셨다. 너무도 불쌍하고 딱했다. 두분의 성품이 온순하기만 해서 자식들을 키우면서 잘못해도 그만 잘해도 그만 제대로 인성 교육을 못시킨것 같아서 자식들도 측은한 생각이 들었다.

이사한지 삼일째가 되니 중고 냉장고랑 중고 전기밥솥을 사왔다. 그래도 생수는 안사와서 내가 일일이 슈퍼마켓에서 사다가 먹었다. 또 그 다음에는 세숫대야. 물 끓이는 주전자 그래도 목욕의자는 안사왔다. 어르신은 계속해서 씻을 수가 없는 상태이고 도시락 반찬으로 식사를 하시다보니 입맛은 점점 잃어갔다. 이건 현대판 고려장이나 마찬가지라고 생각했다. 조금씩 말려 죽이려는건 아닌지 하는 의구심마저 들었다. 병원에서만 사람을 살리는게 아니다 요양이 얼마나 중요한가를 요양 보호사 일을 하면서 절실히 알 수 있었다. 일단 자식들이 사람같지가 않아서 평가절하했다.

그래도 꺼져가는 어르신의 생명이 불쌍해서 집에서 좋아하시는 죽 종류를 만들어다 드렸다. 그러기를 2주가 지난 금요일 그 날도 나는 팥죽을 쑤어서 가져가서 아침에 어르신께 먹여드리고 났는데 방문 간호사가 와서 소변줄을 갈아주고 간뒤에 딸이 그 귀한 의자를 진짜로 시장에서 오천원이나 주고 샀음직한 것을 들고와서 들여주고 돌아갔다. 조금 전에 죽을 드셨으니까 소화 좀 시키고 샤워를 하자고 해서 12시쯤 목욕을 시킬려고 어르신 남편분이랑 양쪽에서 부축하고 화장실로 걸어가는데 어르신이 내 쪽으로 쓰러지는 게 아닌가?

나는 몇 주일만에 일어나서 걸으니 어지러워서 그런가 보다 하고 똑바로 몸을 일으키시니 몸에 힘이 없으셨다. 우리는 너무 당황해서 어찌할 바를 모르다가 내가 119를 불렀다. 응급으로 연결된 전화기에서는 즉시 출동과 동시에 나에게 전화로 심폐 소생술을 시키게 했다. 전화기를 스피커폰으로 작동시켜서 옆에 놓고 열심히 시키는대로 심폐 소생술을 했지만 역부족이었다.

잠시후 도착한 대원들은 호흡이 멎은것을 확인 하고도 기계로 해서 살릴 수도 있지만 환자는 극심한 고통으로 힘들 것 이라고 하니 남편분이 그냥 보내드리겠다고 포기하셔서 그것으로 이순임 어르신은 74세의 나이로 이 세상과 이별을 하시고 영면에 드셨다. 막내 딸한테 연락을 했더니 오전에 왔다 갔다가 어디 멀리 가 있었는지 언니들보다 늦게서야 돌아왔다. 이렇게 마감을 하고 그 후 몇 년이 흐른 어느날 우리 동네에 유명한 빵집에서 막내딸을 만났는데 미안한 지 인사를 하는 둥 마는 둥하고 자리를 피해버려서 여전히 씁쓸했다.

5화 엄마의 유물이 된 된장

다섯 번째 송수림 어르신의 이야기를 시작하겠다. 소개해 주는 센타장님을 따라 면접을 갔을 때가 늦가을 갑자기 기온이 뚝 떨어지면서 바람이 세차게 불어오던 날이다. 창신동 산꼭대기에 계단식으로 자리를 잡고 있는 어느 집으로 들어가니 찬바닥에 공기는 휑하니 을시년스런 곳에 전기 장판 하나를 의지한 채   꼼짝없이 누워 계셨다.. 연세는 75세 아직 요양받기엔이르다고 할 수 있는 나이인데 심장병이 생겨서 하시던 간병인 일을 그만두고 지금은 몸져 누워서 다른 사람의 간병을 받아야 하는 처지가 된 것이다.

가족 관계는 딸 셋에 외아들 합쳐 4남매를 두셨고 오래전에 남편은 돌아 가셨단다. 딸 세명은 다 출가를 해서 없고 오십대 외아들이 결혼도 안하고 병든 어머니와 함께 살고 있다고 했다. 어머니하고 같이 사는 아들이 부담스럽기는 했지만 그냥 해보기로 하고 다음 날부터 출근을 해서 어르신 간병을 시작했다. 집에 들어가면 방바닥은 어름장처럼 차고 방 공기는 냉냉해서 을씨년스럽고 추위를 유독 많이 타는 나로서는 여간 인내심을 가져야 하는게 아니었다.

그 보다 더욱 힘들게 하는 것은 나이든 아들이 어르신 옆에서 같이 자는데 오전 내내 자고 있다. 저녁 늦게까지 일을 하고 와서 오전에 내내 잠자다가 오후에 출근한다고 한다. 근무 시간 동안 옆에서 자고 있으니 불편하고 방바닥은 발이 시려울 정도로 차갑고 방안 공기는 춥고 너무도 악조건 이어서 빨리 다른 곳을 구해서 나가야지 하는 생각으로 하루하루 버티기를 하는데 어르신 몸은 점점 더 처져가는 모습이 보였다.

인생에 대한 회한이 많으신 분이라 함께한 지 한달 정도 되니 이런저런 이야기를 털어놓기 시작했다. 어릴 때 아버지가 일찍 돌아가시자 자식들 데리고 먹고 살기가 힘들어진 어머니를 따라 새아버지를 몇 분이나 만나야 했는데 그 중에 어떤 분이 말을 안듣는다는 이유로 그 당시 아홉 살밖에 안된 어르신을 죽어버리 라고 마구잡이로 때려서 갈빗대 네 대가 나가고 얼굴은 온통 피투성이에 앞 이빨이 부러졌다고 한다. 그 때 일을 말씀하실 때는 눈물을 하염없이 흘리셨다.

남의 자식을 키우는게 만만치는 않겠지만 그럴 자신이 있는지 생각이나 해보고 결혼을 했을까 싶다. 맞은어린 생명도 평생의 상처로 남았지만 말을 안듣는다고 어린아이를 무자비하게 때린 그 사람도 평생의 후회로 남았을거로 생각되어진다. 그 후 어머니가 어린 딸을 남의 집 애기를 봐주고 밥만 얻어 먹는 곳으로 보냈다고 한다.

얼 마 지나지 않아 그 집에서 또 다른 곳으로 옮겨지고 늦은 나이에라도 학교에 보내 줄 집으로 보내지고 하면서 가족들과도 왕래가 끊어질 수밖에 없었다고 한다. 훗날여러 사람들의 도움으로 형제들을 만났지만 이미 어머니는 돌아가신 뒤라고 했다. 자신도 불우하게 이곳 저곳을 떠돌다가 결혼 상대자를 만났는데 술 주사에다 도박까지 일삼는 아주 고약한 상대를 남편이라고 만났지만 친정도 없이 홀홀단신. 자식들까지 딸린 몸이라 도망이라노 살 용기는 도저히 안 생기더라고 하셨다.

남편은 날마다 술에 취해 보이는 대로 부수고 그것도 모자라는지 폭력을 휘둘러서 부인도 때리고 아이들도 때려서 날마다 공포에 시달려야 했다고 한다. 그런 남편의 모습을 보면서 어릴 때 의붓아버지가 자신을 무자비하게 때렸던 아픈 상처가 이해가 되면서 운명으로 받아들였다 한다.

그러던 어느 추운 겨울날, 그 날도 술에 취해서 돌아오던 남편은 논두렁을 지나오다 얼음판에 미끄러 지면서 논둑밑에 웅덩이가 있는 곳에 떨어져 박혔는데 지나가는 행인도 없었는지 거기서 일어나지도 못하고 그대로 동사했단다. 밤늦게까지 돌아오지 않는 남편을 찾아 나섰지만 어디에서도 발견을 못하다가 아침에 가서야 논둑밑 웅덩이에 박혀서 사망한 남편을 찾을 수 있었다고 한다.

남편 장례가 끝나자 무작정 아이들을 데리고 서울로가는 기차를 타고 밤새도록 달려서 새벽에 서울역에 내려 당장 오갈 데가 없으니 여인숙에서 며칠을 지내다가 월셋방을 얻어 짐을 풀었다. 어르신은 재산이라곤 젊은 힘 하나만 믿고 여관 청소 남의 집일 식당 허드렛일등 닥치는대로 일을 했다. 그러던 중에 식당에서 만난 어떤 아주머니가 자기 집에 와서 시부모님들을 돌봐 달라고 해서 따라 갔더니 큰 집에 시어르신을 모시고 사는데 두분 다 몸이 아픈 분들이라 집안 일을 겸한 간병 일을 했다고 한다. 그러다가 병이 더 위급해지자 병원으로 모셔 간병을 전적으로 하다가 두 분 다 돌아가시고 부터는 병원 간병 일을 오랫동안 해오셨다고 했다.

오직 진심과 열심으로 씻기고 먹여 드리고 보살피다 보면 자신에게도 복이 돌아오겠지 하는 마음으로 간병일을 했다. 밤잠을 설칠 때도 있었고 몸이 아파도 쉬지도 못하고 책임을 다했던 지난날을 후한으로 괴로워 했다. 그렇게 시간은 흘러 어느새 몇 달이 지나가고 나는 추위에 날마다 떨면 어르신이 참고 일을 했듯이 나도 그렇게 일을 하는데 일이 끝날 때마다 자기를 위해 기도를 해주고 가라고 하셨다.

살아온 인생을 돌아보면 가엾은 어르신이기에 잘하지도 못하는 기도가 저절로 나왔다. 날마다 기도를 하다가 같이 울기를 밥먹듯 했다. 기도를 하면 할수록 어르신과 짙은 교감이 생겨서 그 분의 깊은 내면의 외로움이 느껴지니 마치 내가 기도의 능력자 라도 된것 같은 착각에 빠질 지경이었다. 가끔 병원에 정기검진을 다녀야 했는데 그 때마다 산꼭대기까지 콜택시를 불러서 타고 가야 하는데 아들은 누워서 꼼짝을 안한다. 아침시간 콜을 아무리 눌러도 택시 기사들은 승락을 안해준다. 정말 어쩌다 운좋게 택시를 만나면 예약 시간에 갈 수 있지만 좀처럼 그러기가 쉽지 않아 예약 시간을 넘긴 일이 더 많았다.

어르신 식사도 형편상 여의치 않아 미숫가루로 연명하며 지내셨다. 가스값을 아끼느라 방에 보일러 한번 못지피고 목욕탕도 택시를 따로 불러 가야 하니 불가능하고 살아가는게 지옥같은 현실인 셈이다. 그래도 날마다 기도로 일을 끝내고 은혜가 넘치는 마음으로 돌아왔다.

그러던 어느날은 나에게 비밀아닌 비밀스런 이야기를 들려줬는데 한 동네에서 40년을 살면서 사귄 친구들한테도 비밀로 했던 이야기는 10여 년전에 돌아가신 남편이 두 번째 남편이라는 사실인 것이다. 시골에서 결혼해서 살던 남편은 딸 두명을 남겨놓고 술에 취해 논웅덩이에 떨어져서 죽고 그 후 서울에 와서 새로운 남편을 만나 아들 딸을 낳았다 한다. 그러나 동네 사람들한테는 이 남편이 첫남편이며 아이들 네 명도 이 남편과 낳은 것이라고 속이고 살았는데 이제 마지막 길에서 나에게 털어 놓으니 너무 속시원하다고 하셨다. 그렇치만 아무에게도 말하지 말아 달라고 당부를 했다. 첫 남편한테서 낳은 자식들은 온순한데 두 번째 남편의 자식들은 아주 고약하다고 했다.

그렇게 시원하게 비밀을 다 털어놓더니 다음은 된장항아리에 담가서 먹던 된장을 콩을 더 삶아넣고 다시 만들어 달라고 해서 그렇게 해드렸더니 당신이 돌아가신 다음에 자식들이 가져다 먹을거라고 유언처럼 말을 남기며 세상을 떠날 준비를 하셨다. 그러더니 며칠이 안돼서 감기가 걸려서 기침과 몸살로 고생하시면서도 약을 안드시고 병원도 안가시고 버티셨다. 평생 살면서 기쁜 추억이라곤 한 점도 없는 아프고 쓰린 기억만 쏟아내고 계시는걸 보니 마음이 아프고 안타까웠다.

하지만 무엇때문에 이렇게 괴로운 걸까 싶었다. 어릴때 아버지를 일찍 여의고 새아버지 밑에서 자란 것, 심하게 맞다가 남의 집으로 전전하며 허드렛 일과 애기 돌봐주는 일로 공부도 못한 채 사회적으로 저평가된 직업인으로 살아야 했던 서러움, 결혼을 두 번하는 바람에 자식을 각각 다른 성씨의 자식을 키워야 했던 사회적 인식으로 오는 부끄러움, 이 모두가 사람들이 스스로 만들어 씌워놓은 굴레속인데 그렇다고 따지고 보면 누구의 잘못이나 실수가 아니지 않은가. 어느 부분도 자신의 선택이 없이 운명적으로 주어진 삶인데 왜 당당하게 살지 못하고 한숨과 원망으로 지금까지 왔는지 왜 사람들은 타인에 대한 이해와 배려가 없는지.... 안타까운 삶을 살다가 가는 어르신이 한없이 가엾어서 스스로 죽음으로 몰고 가는 절망적인 인생앞에 자신을 내던진 어르신을 만류하기 싫었다.

오히려 편견없고 고통없는, 내잘못이 아닌데도 불구하고 남들이 알고 손가락질을 받을까 쥐죽은듯이 살아야하는 이승보다 낫지 않을까 싶어 그냥두기로 했다가 얼마나 지키고 싶은 귀한 생명인데 영원히 올아올 수 없는 곳으로 가시게 할순 없어서 연락이 되는 자식한테 전화로 통화했다. 그러나 오지 않아서 그것도 포기했다. 어르신에게 천국 소망을 가지고 가시라고 간절히 기도해드렸다. 어느 날 아침에 전화가 왔다. 119에 실려서 응급실로 가셨으니 오늘부터 출근하지 말라고~

기어코 영원히 돌아오지 못할 곳으로 떠나 미련없이가 시다니. 이곳에 머무는 세월이 한없이 지루하고 고통이었고 다른 사람들에게 부끄러운 삶이라고 숨죽이며 살다가 시는 가련한 송어르신께 명복을 빕니다.

6화 밥을 어떻게 먹을까?

여섯번째 이야기로 넘어간다.

김학순 어르신은 약 삼년 전에 장기요양이 시작됐었다. 혼자 거주하시는 독거 노인이 셨는데 인지 5등급이셨다. 신체는 별로 불편한 데가 없으신 분인데 섬망 증세가 심해서 항상 오래 전에 돌아가신 남편을 같이 모시고 사신다. 남편은 6.25때 월남하신 분으로 이북에서 결혼해서 자녀도 몇 명이나 두고 살다가 6.25동란이 터지자 혼자서 남한에 잠시와서 상황을 보고 이북으로 다시가 가족들을 데리고 올 계획으로 함흥 부두에서 배를 타고 부산항에 도착했지만 다시는 돌아가지 못하고 부산에서 일자리를 찾아 이리저리 떠돌다가 마산까지 왔다가 편물집에서 일하는 마산이 고향인 김학순씨를 만나서 살림을 차렸다고 한다.

남편은 지독하기로 유명한 함경북도 아바이였단다. 얼마나 엄하고 구두쇠인지 1원짜리 하나라도 허투루 새지 않게 호통을 치며 관리 하면서 온 가족을 공포의 도가니로 몰아넣기가 일쑤였다고 한다. 김학순 어르신을 꼼짝달짝도 못하게 통제를 하고 일거수 일투족을 간섭하면서 휘두르는 바람에 두 아이들도 팽개친 채 야반도주를 해서 서울행 열차에 몸을 실었단다.

새벽에 서울역에 도착해서 오갈 데가 없었던 학순씨가 찾은 곳은 서울에 살던 여동생이란다. 그 곳에 머물면서 일자리를 찾았는데 동네 목욕탕에서 청소도 하고 손님이 요구하면 때도 밀어주고 하면서 지내다가 목욕탕에 방이 하나 있어 거기로 옮겨 살게 되었다. 어느 정도 먹고 살게 되니까 집에 두고 온 아이들 생각에 울기도 많이 울었다고 했다.

그럭저럭 세월은 일년을 훌쩍 넘기고 있을 무렵 어느 날 느닷없이 남편이 찾아온 것이다. 이리저리 수소문을 끊임없이 해오던 남편의 귀에 고향의 지인으로 부터 목욕탕에서 애들 엄마를 봤다는 제보를 받았던 것이다. 미처 피할 사이도 없이 잡힌 학순씨는 앞이 캄캄했지만 돈 맛을 본 이상 이 기회를 절대로 놓칠 수는 없다고 생각했다. 주위에는 여러 사람들도 있겠다 아무리 못된 남편도 이

자리에서 당장 머리채라도 낚아채지는 않을거라는 생각이 들어서 납작 엎드려 남편 다리를 부여 잡고 울기 시작했다. 순간 당황한 남편은 여러 사람들 앞에서 부끄럽기도 하고 경황이 없었는지 학순씨를 덥석 안고 화장실로 들어가 버렸다.

이때구나 싶어 남편한테 애원했다. 내가 돈을 열심히 벌수 있으니 서울에서 살자고 당신은 마산에서 하던 장사를 서울에서 하고 나는 이곳에 자리도 잡혀서   수입도 짭짤하니 제발 그렇게 하자고 사정하면서 매달렸더니 계산빠른 남편이 알겠다고 월셋방이라도 얻어놓고 아이들을 데리고 올라오자고 일단락을 지었다. 밖에서는 화장실이 급하다고 아우성을 치는 바람에 남의 이목을 누구보다 중요시하는 사람인지라 나올 때는 웃으면서 나올 수 있었다. 밖에서 초조하게 광경을 지켜보던 목욕탕 주인은 오랫만에 맘에 드는 일꾼을 놓치는 게 아닌가 조마조마했는데 이렇게 결정을 해줘서 감사하다고 좋아했다.

그 길로 가까운 거리에 방 하나짜리 문간방을 얻어서 아이들을 데려와서 서울에서 살았다. 학순씨는 부지런하고 깔끔한 성격이라 목욕탕 손님들에게 인기가 나날이 높아져 소문을 듣고 찾아오는 손님들로 목욕탕은 영업이 잘됐다. 자연히 학순씨의 대우는 좋아지고 가치는 높아져서 다른 목욕탕에서 옮겨 오라는 제의도 들어왔다. 그것을 눈치챈 주인은 전세자금을 빌려주어 학순씨의 발을 묶으려 했다. 부엌도 없이 방 하나만 덜렁 가지고는 네 식구가 살기에는 힘들었다. 더군다나 아들과 딸 오누이가 점점 자라가니까 더욱 불편하던 차에 목욕탕 주인이 제시한 자금으로 조금 언덕 위로 올라가면 방 두칸에 마루 화장실에 마당도 있는 독채도 얻을 수 있는 형편이라 마다할 리가 없었다 .

이렇게 마누라 덕에 그 척박한 서울 생활이 안정권으로 들어가게 되니 날마다 도끼눈을 뜨고 호령하던 남편의 태도도 누그러들기 시작했다. 목욕탕에서 이런 파격적인 제시로 이사를 했다는 소문이 퍼지자 학순씨에게 군침을 삼키는 목욕탕 주인은 더 이상 없었다. 날마다 손님들이 줄을 서서 순서를 기다리니 학순씨 혼자로는 한계가 있었다. 그래서 때밀이 지망생 두 명을 선별해 가르쳐 쓰기로 하고 한달에 월급으로 얼마씩 정해서 주었다. 그러다보니 직원을 둔 사업체 사장님이된 셈이었다. 목욕탕 주인은 사람하나 잘 두었는데 덩달아 번창해가니 한여름 비수기때는 낡은 곳을 이곳저곳을 손보고 바꾸고 해서 더욱 좋은 환경으로 고쳐갔다.

장사가 잘되는건 당연한 일이고 수입이 많으니 학순씨에게 때때로 보약도 아낌없이 해줬다고 한다. 직원으로 일하던 사람들이 실력이 늘자 독립해서 다른 곳으로 가는 일도 있었지만 아랑곳하지 않고 새로운 직원을 뽑아서 썼다. 학순씨집 생활도 나아져서 방 세 개에다 부엌도 따로 있고 넓은 거실과 마당이 있는 집으로 이사를 했다. 아이들 각자 방 하나씩 주고 넓은 거실이 있어서 냉장고도 들여놓고 부자집 못지 않은 주거환경에서 살 수 있었다.

친척 누가와도 비좁지 않고 자랑스러웠다. 그 동안 남편은 중국집 주방에서 주방 일을 배워서 열심히 일을 한 결과 주방장이 결근을 해도 대신할 수 있는 사람이 있기에 주인이 걱정없이 잘 운영해갈수 있는 형편이 되었다. 그렇게 부부가 양쪽에서 실력을 쌓으며 돈을 벌고 있을 때 중국집 주인 아저씨가 뇌졸중으로 쓰러져 반신불구가 되어 버리니 더 이상 중국집을 운영할수 없는 일이 일어났다.

생각끝에 주인이 부지런하고 믿음이 가는 학순씨 남편한테 넘겨 줬다. 한 번에 가게를 인수 할 자금이 없다는걸 익히 알고 있던 터라 한달에 얼마씩 벌어서 갚는 조건으로 하루라도 공백기를 두지 말고 영업해 달라고 했다. 종업원에서 하루 아침에 짜장면집 사장이 되어 걱정 반 자부심 반으로 영업을 하게 됐으니 잘 나가던 학순씨도 목욕탕 일을 접고 남편을 도와줘야 할 처지에 놓였다.

학순씨는 중국집 사장이 된다는 기대감에 앞서 고민이 있었다. 그 동안은 각자 벌어서 쓰느라고 인정많은 학순씨는 동생도 간간이 아쉬운 소리가 나올 때마다 찔러주고 시골에서 친척들이나 형제들이 들락날락할 때에도 차비며 하다못해 쌀값 명목으로라도 몇 푼씩 챙기면서 우애좋게 지내 왔었기 때문이다. 이제 남편하고 같이 하다보면 그 지독한 양반이 돈 살림을 다 맡길리는 천 부당 만 부당하고 10원 한장도 마음대로 쓸 수 없을테니 말이다. 사춘기 아이들도 아버지 몰래 가져가는 돈이 여간 많은게 아니고 넉넉치 않은 동생네도 그렇고 이럭저럭 걱정이 많았지만 그 동안 목욕탕 주인이 빌려준 전세자금도 다 갚은 터라 어쩔수없이 남편따라 짜장면 집을 할 수밖에 없었다.

우선 주방장을 한 명 구하고 주방에서 설거지하는 아주머니 한명까지 직원 두 명만 구하기로 했다. 나머지 일은 학순씨와 남편이 맡기로 하고 시작했다. 장사는 주방 일을 꼼꼼히 배워놓은 남편 덕분에 눈치빠르고 손님을 대하는데 탁월한 학순씨의 솜씨에 주인이 바뀌었다고 그다지 타격을 입지 않았다. 한달에 정해진 셋돈을 꼬박꼬박 갚아 갈 수 있었다.

그러나 예상했던 대로 남편의 타고난 성격이 다달이 밀려오는 인건비와 가게세 그리고 각종세금의 압박으로 더욱 철두철미해졌다. 강팍해진 남편은 학순씨와 아이들을 달달볶아 먹을 기세로 괴롭히고 있었다. 참다못한 학순씨는 담배판매 허가를 내서 뒷돈이라도 만들어 보려고 가게 계산대옆 구석 벽면에 손만 넣었다 빼었다 할수 있는 유리창을 만들어 담배를 팔기 시작했다.

중국집이 목도 좋고 장사가 잘되는 집이라 담배 판매 이익금도 짭짤하니 좋았다. 처음에는 남편한테 믿음을 얻기 위해 파는대로 돈통에 돈을 넣었다가 살살 눈치껏 주머니에 넣기 시작했다. 그것도 도독질이라고 날마다 얼마씩은 수중에 들어오니 그 재미가 쏠쏠하니 좋아서 거의 습관적으로 하게 되어 더 많은 액수가 주머니로 들어왔다. 저녁마다 남편이 돈통을 가져가 돈을 세서 관리를 했다. 담배 판매를 시작했을때는 꽤 많은 돈이 들어왔었는데 차츰차츰 매출이 떨어진다는걸 알아차린 남편이 학순씨를 의심하기 시작했다.

어느 정도는 알아차리지 않았을까 하는 마음이 학순씨에게도 들었지만 이미 돈 맛과 습관이 붙어버린 이상 금방 고치기가 힘들었다. 그러던 어느 날 남편이 작정하고 지키기로 한 것인지 가게와 주방을 자주 왔다갔다 하면서 담배 손님 올때마다 신경을 곤두세우고 있었다. 때 마침 남편이 화장실을 갔는지 없을 때 손님이 식사를 하고 나가면서 담배 한 갑을 샀는데 돈을 받아서 습관적으로 주머니속으로 손이 들어가고 말았다. 그광경을 들키면서 결정타가 되어 일이 벌어지고 말았다.

화가 난 남편은 주방으로 뛰어들어가 밀가루 반죽을 미는 밀대를 가져와 "이 간나이 새끼!"라고 소리를 지르면서 학순씨 손목을 사정없이 내리쳤다. 순식간에 일어난 일이라 미처 피할 사이도 없이 손목이 부러지고 퉁퉁 부어오르면서 피멍이 들기 시작하고 어마어마한 진통이 시작됐다.

가게에 있던 종업원이 학순씨를 데리고 가까운 병원으

로 데리고 갔다. X-RAY 검사결과 손목뼈골절 진단이 나왔다. 어쩔수 없이 깁스를 해서 보호대를 목에 걸고 가게로 가니 남편은 아직도 괘씸하게 생각 하는지 도끼눈을 뜨고 쳐다보고 눈을 흘겨보는 것이었다. 걱정하는 마음도 없이 미안한 마음도 없는 것같은 남편이 너무도 야속했다. 처음 만났을때 훤칠하고 잘 생긴 외모나 처음 들어보는 함경도 사투리에서 오는 중독성. 홀홀단신으로 타향에서 고생하는 안쓰러움. 이런 저런   요소들로 학순씨의 정서나 모성애 본능에 넘어가니 그남자 아니면 그 누구도 학순씨 눈에는 들어올 남자가 없었다. 부모님들의 지독한 반대에도 굴하지 않고 무작정 집을 나와 올바른 주거 공간도 아닌 마루같은 곳을 얻어 살림을 차려서 살았던 무모한 일이 파도처럼 밀려왔다.

이제는 자라는 아이들을 두고 돌이킬 수가 없다고 생각되니 봇물이 터지듯 후회의 눈물이 쏟아지고 있었다. 가게에서는 더이상 추한 모습으로 있을 수 없어 음식재료를 쌓아놓은 창고 방으로 들어가 울고 또 울어도 억울한 마음은 달랠 길이 없었다. 오후 늦게 아이들이 밥을 먹으러 가게로 들어와서 어쩔수 없이 눈물을 훔치고 퉁퉁 부은 눈으로 나갔다. 딸이 깜짝 놀라면서 엄마를 쳐다보고 울어서 벌겋게 충혈된 눈이랑 깁스를 해서 어깨에 걸린 팔을 보며 무슨 일이냐고 물어보는 것이었다.

아이들이 받을 충격을 생각해서 넘어져서 손목이 부러지는 바람에 깁스를 했다고 대충 둘러댔다. 하지만 그 동안 아버지의 행태를 봐서 아버지와 싸운거 냐고 다시 물어보았다. 엄마의 말에 신뢰할 수 없다는 뜻임에 틀림이 없었다. 아이들은 자라면서 아버지가 얼마나 가족들에게 엄하고 엄마에게 모질게 대해 왔다는 걸 알기에 엄마가 자기들을 버려놓고 야반도주한 것도 원망하지는 않는 눈치였다. 지옥같은 현실이 너무도 싫어서 또 도망을 치고 싶지만 사춘기에 접어든 아이들을 생각하면 그건 아닌 것 같았다. 그렇다고 참고 살자니 현실은 지옥이라서 이러지도 저러지도 못하고 지내고 있는데 소문은 온 동네에 퍼져서 중국집 아저씨가 생긴건 영화배우인데 부인을 때리고 못살게 구는 호랑이 같은 무서운 사람이라고 사람들이 쑤근댔다.

어느날은 동네 일이라면 쓴소리도 마다않는 통장 아저씨가 짜장면을 드시러 오셔서는 한쪽 팔에 깁스를 하고 카운터에 앉아있는 학순씨를 보고 다쳤으면 집에서 쉬지 가게에서 일을 하면 부러진 뼈가 제대로 붙겠느냐고 하셨다. 그리고는 남편을 불러서는 ,사람을 이렇게 대해서야 되겠느냐며 돈만 벌면 된다고 생각하느냐 소문을 들으니 남편이 부인 손목을 부러뜨렸다고 하던데 사실이냐고 물었다. 통장 아저씨는 작정하고 오신것 같았다. 그 말을 듣고 남편은 통장 앞에서는 자기가 잘못했다고 말은 하면서도 속으로는 아주 곤욕 스러워했다.

통장 아저씨가 돌아간 뒤 남편의 인상이 찌프러 지더니 학순씨를 주방 일을 하도록 지시하고 자기가 카운터를 지킨다고 했다. 할 수없이 카운터 자리에서 물러나고 주방으로 갔다. 며칠만 있으면 깁스를 풀게되니 그릇 정도는 씻을 수 있겠다 싶었다. 일도 못하는 사람이 주방에서 우왕좌왕하니 직원들이 영 불편해 했지만 깁스를 풀 때까지는 어쩔수 없었다. 한손으로 작은 접시나 날라주고 단무지를 담고 썰어놓은 양파와 짜장을담고 무슨 일이든 한손으로 할수 있는건 다했다.

두달이 지나 기브스를 풀었더니 예상외로 팔은 더욱 아프고 불편했는데 안 다친 부분도 아팠다. 기브스를 풀자마자 남편은 점심시간만 잠깐 쓰는 설거지 알바도 끊어 버리고 학순씨에게 미뤘다. 보다 못한 직원들이 틈나는대로 서로 거들어줘서 하루하루 버티어 갈 수 있었다. 너무도 지독한 남편이 구렁이를 보는 것처럼 징그럽게 싫었지만 그 빛나는 외모에 홀려 하루하루 흘러가고 있다고 생각하니 키작고 못생긴 외모로 사람들에게 인정받지 못한 지독한 설움이 많다는걸 느꼈다. 그러니 어찌하랴. 부모를 탓할 수도 없는 노릇 아닌가? 그래도잘난 남편을 만나서 자식들은 훤칠하고 인물이 잘나지 않았는가 하고 하루에도 몇 번씩 억울하고 분함과 안도감이 교차했는지 모른다.

차츰차츰 아픈 손목은 정상으로 돌아오고 몸이 회복되어 가면서 짜장양념 만드는 일을 해나갔다. 카운터에신경쓰느라 주방 모든것은 남편이 주방장이랑 알아서 했는데 일을 바꾸고 나니 자연히 학순씨가 주방에 눈을 뜨게 됐다. 워낙 음식 솜씨 좋기로 이름난 학순씨 였던터라 어깨

너머로 보아도 감이 잡혔다. 야채를 썰어서 볶고 돼지고기도 알맞은 부위를 사다가 볶아 섞고장은 따로 돼지기름으로 볶아서 썼다. 파와 마늘은 기름으로 볶아서 향을 내고 하면서 날마다 맛을 대조하며 연구에 연구를 하다보니 손님들 입맛에 잘 맞았는지 입소문이 널리널리 펴져나가 홀에 빈자리가 없이 연일 북적됐다.

자존심과 승리 근성이 강한 학순씨는 더욱 맛있는 짜장소스를 만드느라 밤늦게까지 일에 매달릴 때도 많았다. 차라리 호랑이같은 남편 눈을 피해 주방에서 일을 하니 마음이 편하기 그지 없었다. 아이들 용돈도 재료값에서 조금씩 빼내서 모아 놓았다가 필요할 때마다 나눠주고 나름대로 살아가는 방법이 있었다. 식당 규모가 커짐에 따라 남편이 재료구입 양을 가늠하기에는 한계를 넘어서서 뒷돈 빼는 건 조금만 신경쓰면 되는일이라 서로 마음의 안정을 찾을 수 있어서 좋았고 아이들도 엄마한테 덜 미안해도 되니 여러모로 편안함을 줬다.

남편하고 나이 차이가 많이 나는 터라 학순씨가 50대가 되기 전에 남편이 환갑을 맞이하게 되어 돈도 벌었겠다 그 지역에서는 소문난 중국집을 운영해서 유명세를 탔으니 큰 회관을 빌려 일가 친척은 물론이려니와 동네 유지들. 이북에서 같이 내려온 피난민들중에 친분이 있는 사람들을 불러 모아 사회자를 세우고 민요와 춤추는 무용수들도 불러서 장대하게 환갑 잔치를했다. 그 때 사진첩을 나에게 보여주면서 남편이 잘생긴 걸 자랑하셨는데 키도

180은 넘는 것 같이 크고 얼굴은 최무룡이 버금가게 생겼고 고운 빛깔의 한복이 썩 잘어울리는 모습이라 학순씨랑 같이 찍은 사진은 마치 부녀사이 같아보일 정도로 학순씨는 작고 외모도 잘난 것이 없었으니 남편의 말도 안되는 통제를 그냥참아넘기며 산 것 같았다.

회갑 날만큼은 모든 의심이나 시름 걱정을 잊고 마음껏 즐기며 마셨다. 모든 날이 그날만 같으면 사는 것이 얼마나 행복할까 싶어서 눈물이 하염없이 흘렀다고 했다. 사람들은 좋은 날 잔치상 받아놓고 주책맞게 울 것까지는 뭐 있냐고 핀잔을 줬지만 사는 게 하도 힘들어 코도 훌쩍거릴 여유도 없이 지금까지 달려왔는데 오늘은 그런 부담에서 벗어 나니 지나간 일들이 주마등처럼 다가오며 학순씨의 감성을 건드렸다. 사람들 이목도 있고 기분도 한껏 상승되니 동정심이 발동됐는지 처음에는 애써 모르는 체하던 남편도 학순씨를 챙기기 시작했다. 손수건으로 눈물을 훔쳐주기도 하고 등을 토닥거리기도 하다가 끝내는 학순씨를 와락 끌어 안고 같이 목놓아 울기 시작하는 것이었다.

이 광경에 당황해진 손님들과 놀이패들도 어찌할바를 모르다가 친정어머니가 울먹이기 시작하자 같이 울음바다가 되어 잔치 분위기가 예상밖으로 흘러가자 당황해진 사회자가 수습하려고 이말 저말로 분위기를 바꿀려고 애를 쓸때 남편이 마이크를 잡더니 자신의 지난 세월에 대해 한말씀 했다. 6.25때 북에 자식들까지달린 아내며 부모님

모두를 남겨둔 채 홀홀단신 남으로 내려와 부산항에 내려서 오갈 데 없이 헤메다가 일거리를 쫒아간다고 간 곳이 마산이었고 그 곳에서 밥벌이를 하다가 편물 일을 하던 학순씨를 만났고 아담하고 연약해보이는 외모가 북에 두고온 아이들 엄마를 닮아서 첫 눈에 반했다는 이야기다.

그 후 학순씨 부모님의 반대에 부딪혀 어려움을 겪었던 이야기. 지금까지 살아온 역경을 이야기로 풀어가더니 장인 장모님께 처음으로 큰절을 올리고 싶다고 부모님을 앞으로 모시고 학순씨를 안고 나가서 큰 절을 올리고 선언했다. 이제껏 살아온 건 학순씨를 만나 학순씨의 덕분이라고 하면서 학순씨를 향해 큰 절을 하고 안아주니 그 자리에 모인 모든 손님들이 박수를 치면서 그야말로 풍악이 울리고 노래하는 사람들이 나와서 춤추고 노래하니 분위기는 한층 고조되어 반전시켰다. 잔치를 잘 치르고 시골에서 올라온 부모님이나 일가 친척들 몇 분은 집이나 여관을 얻어 주무시고 그 다음날 떠나셨다.

그 동안 고생만하고 남편한테 제대로 인정도 못받고 살았던 딸 때문에 가슴이 아렸던 부모님은 이제는 한시름 놓겠다고 학순씨 내외를 격려하고 돌아가셨다. 차츰차츰 남편의 태도가 온건하게 변해가며 학순씨에게 주방에서 나와 카운터 일을 하라고 시켰다. 하지만 이미 주방에서 여러가지 노하우를 터득해서 개인 주머니도 채우고 재료도 직접 선별해 구입해서 개발한 짜장소스로 장사도 잘되는데 굳이 카운터에 앉아 있을 일이 아니었다.

그러던 어느날 2층에 입주해 있던 사무실이 이사를간다고 해서 건물주인이 2층을 같이 계약해서 확장하면 어떻겠냐는 의사를 물어왔다. 남편하고 상의해보니 점심시간은 자리가 모자라 식사하러 온 손님을 보내는날이 많았는데 넓은 장소를 얻어서 다른 곳으로 이사를 하는 것보다는 자리를 지키면서 홀을 넓게 쓸 수 있어서 오히려 잘된 일이다 싶어서 2층을 얻어서 확장시키기로 했다.

식당 규모가 커짐에 따라 일 할 직원을 더 뽑아야 했다. 우선 써빙할 직원 4명을 새로 뽑고 주방보조 한 명에다가 설거지 담당을 정식으로 한명을 두고 학순씨 여동생을 카운터에 두고 학순씨 남편 직원들과 홀의 모든 관리를 맡아서 하게 되었다. 학순씨는 주방에 있으면서 식재료나 요리 전반에 관한 책임을 지고 운영해 나갔다. 홀을 한 층만 쓰다가 두 층으로 확장하니 예상보다 신경쓸 것도 많고 비용도 많이 나가서 남편의 성향이 되살아나는 듯 예민해졌다. 식재료도 하루에 엄청난 양이 들어왔는데 납품 업자들이 경쟁이 붙어서 서로 좋은 물건을 싼값에 살 수 있었고 중국 향신료도무역업자가 직접 납품을 하겠다고 제시해 왔다.

이쯤 되니 평생에 남의 밑에서 하층계층으로 바람 잘 날없이 살다가 일생을 마치나 싶었던 학순씨는 이젠 어엿하게 사장님 사모님 소리를 듣는 중국집 주인으로 어깨가 펴지고 고개를 들어 멀리 바라보아도 되는 처지가 된 것이다. 옷도 멋지게 입고 싶어서 백화점에 갔지만 막상 어떤 옷을 골라야 할 지 몰라 점원이권해주는 것으로 살 수밖에 달리 안목이 없었다. 신발을 사고 그에 맞는 가방을 사고 무조건 비싼 것이 좋은 것이라고 비싼 것으로만 구입했다. 구색을 맞춰 차려입고 나가면 동네가 환해 보이는 것 같았다. 점점 더 멋쟁이로 변신을 하니 자존감도 올라가고 구부렸던 가슴도 활짝펴고 고개를 들어 시선을 멀리 두기 시작했다.

모든 것이 당당하니 마음도 너그러워 지고 얼굴에편안함이 역역했다. 무엇보다 힘들게 살던 여동생에게 일자리를 주게 되어 마음에 근심이 없어졌다. 자린고비 남편도 여유가 생기니 자연히 넉넉해져서 옛날 처럼 감시를 하고 백원짜리 하나라도 아낄려고 애쓰던 모습은 슬슬 사라지고 온화해졌다. 주변에 화려하고 큰 중식당이 생겼다고 소문이 나서 바짝 긴장을 했지만 남편은 오히려 오는 손님들에게 양도 많이주고 재료나 맛에 신경을 써서 손님들을 만족시켰기 때문에 별지장 없이 자리매김을 해나갈 수 있었다. 여름에는 시원한 중국식 냉면도 만들어 팔고 탕수육 튀김옷도 쫄깃한 찹쌀로 만든 것으로 바꾸고 짬뽕 국물도 돼지족으로 하는 등 각 방으로 노력해서 경영을 해나가니 화려한간판과 실내장식으로 코스요리를 내세우던 중국집보다 손님이 더 꾸준했다.

그러나 세상이 바뀜에 따라 배달 문화가 확산되면서 간

단한 단품요리인 중국집이 가장 빠르게 유행을 탔다. 하는 수 없이 학순씨네 중국집도 배달을 시도해야 했다. 오토바이를 사고 배달 직원을 채용해서 시켜 보았는데 모든것이 서툴러 100미터외에는 아주 힘들었다. 지금처럼 주소 정리가 잘돼 있는것도 아니고 골목골목 도로사정도 안좋고 스마트폰에 앱을 깔고 찾아가는 요즘 시대에 비교하면 아주 어려웠다. 생각다 못한 학순씨 남편이 통과 반을 중심으로 지도를 그리기 시작했다. 한장 한장 그려서 벽에다 이어 붙여서 주문이 들어오면 지도로 위치를 확인하고 배달을 보내는데 서울 도시의 집 위치 구조가 하도 복잡해 찾아 다니다가 못찾아 퉁퉁 불은 짜장면이나 짬뽕을 그냥 가져오는 경우도 가끔 생겼다. 이렇게 일이 힘들다 보니 배달 직원을 구하기도 힘든데 가까스로 구해도 이직율도 높았다.

생각끝에 남편이 오토바이 운전을 배우고 직접 배달을 하기로 했다. 동네 지도를 직접 그려본 경험으로 현장감도 훨씬 높아서 찾는데는 문제 없었다. 남편대신 학순씨가 남편하던 일을 맡아해야 해서 영업끝나고 저녁시간에 중요한 쏘스를 만들어 놓고 나머지는 주방보조를 가르쳐 일을 시켰는데 눈썰미 있는 주방보조가 곧잘 잘했다. 배달 건수는 점점 더 늘어나서 남편은 예전보다 더욱 부지런히 움직여야 했다. 점심을 먹을 시간을 내기도 힘들 정도로 주문량이 늘어나 가정집에서나 소량으로 시키다가 점점 더 확산되어 사무실이나영업장에서도 시켰다.

늘 시간이 부족한 남편을 위해 김밥이나 주먹밥등 가지고 다니면서도 간단하게 먹을 수 있는 음식을 준비해 주었다. 그러나 겨울같이 추운 날씨에는 그것마저도 힘들었다. 그렇게 고단한 남편을 바라볼 때면 옛날 미웠던 감정이 조금은 사라지고 동정심이 생기기도 했다. 그 날은 남편 생일이 지나고 일주일 정도 지난 어느날, 그 날은 아침부터 눈발이 날리기 시작해서 하루종일 눈이 하얗게 세상을 덮고 있었다. 주문이 들어온 곳은 언덕을 두 개나 넘어야 되는 곳이었다. 평상시 같으면 하루에도 몇번씩 오르락 내리락하던 곳인데 오늘은 눈이 이불처럼 덮여 있던 곳이라 어디가 움푹 파였는지 어디가 구덩이가 져서 위험한지 분간이 안가는 상황이었다. 배달을 하고 내려오는 길에 아마도 긴장을 잔뜩한 채 조심하고 또 조심스럽게 오토바이를 몰았겠지만 그만 푹 파인 웅덩이 같은 곳에 바퀴가 사정없이 박히면서 학순씨 남편은 길 위로 내동댕이 쳐지고 말았다.

동네 길이고 그 지역에서는 유명한 짜장면집 사장이라 웬만한 사람은 다 알아보는 일이라 근방에 있는 가게 주인이 중국집에 전화하고 응급차에도 전화를 해서 기겁한 학순씨와 직원들이 달려갔을 때는 응급차도 도착하고 있었다. 응급차에 실려서 병원으로 학순씨와 남편 함께 가는 동안 남편의 의식은 거의 꺼져가고 있었다. 마침 가까운 거리에 큰 병원이 있어서 10분이 채 안되어 응급실로 들어가서 응급조치를 받을 수 있었지만 머리를 심하게 다쳤기에 가망이 없다는 의사의 진단이 나왔다. 길어야 3

일 정도 생존가능성. 하늘이 열 두번은 무너지는 것같은 절망감이 하염없이 엄습했다.

왜 헬멧은 안썼냐고 소리소리 지르다가 옆에 있는 환자 보호자들한테 제지를 받기도 했다. 너무너무 날뛰는 학순씨 때문에 다른 환자들의 불평의 소리가 들어가자 보호자를 교체하라는 의사의 지시가 있어서 그 다음에는 학순씨 여동생이 들어가서 지켜 보았다. 남편은 받을 수 있는 모든 치료를 다 했지만 의식은 갈수록 희미해지는지 거의 미동도 하지 못했다. 집에서 더 이상 참지못한 학순씨가 응급실로 달려 왔지만 들어 가지는 못하고 하루에 한 번 짧은 시간만 면회가 허용됐다.

그것도 5일안에 종말이 오고야 말았다. 새벽에 깜박 눈을 부쳤는데 남편이 저멀리서 학순씨를 향해 잘있어라 나는 간다고 손을 흔들어 주는거 아닌가 깜짝 놀라 정신을 차려보니 꿈인지라 그길로 옷을 주섬주섬 찾아입고 택시를 타고 병원으로 달려갔다. 도착해 보니 의료진들이 왔다갔다 분주히 움직이고 있어서 우리 남편 어떻게 됐냐고 물어보니 오늘을 넘기기 어렵다고 했다. 어쩔수없이 응급실앞에서 면회시간이 되길 기다릴 수 밖에는 방법이 없었다.

잠시 뒤에 간호사가 빨리 들어오라고 해서 따라 들어가는데 마음을 단단히 먹으라고 일러주었다. 순간 앞이 캄캄해지면서 주체할 수 없이 눈물이 하염없이 흘러 내렸다.

잘생긴 남편의 코와 입만 보일뿐 붕대로 머리를 감아매서 눈도 잘 안보였고 넘어져서 입은 상처가 아직 다 아물지도 않은 채로 머리위에 있는 기계에 까만 줄이 약간 흔들리는가 싶더니 일자로 계속 이어지고 있었다.

이렇게 남편은 천년만년 살것처럼 아끼고 모으고 절약하며 무섭게 살다가 모든 것을 내동댕이친 채로 저 세상으로 돌아가고 말았다. 이제 어떻게 수습하고 정리해야 될지. 혼자서 중국집을 끌고 갈 수있을까도 막막했고 장례를 치르고 나니 몸과 마음이 공중에 붕 떠있는 느낌이들어서 자꾸만 땅을 짚어보고 확인하는 버릇이 생길 정도였다. 남편을 평소 소원대로 북쪽이 가까운 공원묘지를 구입해 항상 그리워하던 고향땅이며 두고 온 처자식 부모님을 쉽게 만나보라고 모셨다. 처 자식에 대한 말은 대놓고 안했지만 꿈엔들 만날 수 있을까 얼마나 그리워 했을까 싶은 측은한 마음이 생겨서 나중에 통일이라도 된다면 쉽게 찾아보라고 목좋은 곳에 남보다 넓은 평수에다 모셨다.

학순씨는 남편이 눈발에 날리듯이 허무하게 떠나고 나니 세상 일이 너무 가치가 없다고 여겨져서 그렇게 신나게 하던 짜장소스 만드는 일이며 짬뽕을 만드는 일이 손에 잡히지가 않았다. 배달직원도 새로 구해 가르쳐야 하고 새로 다잡아야 할 일이 부지기수로 많아서 한숨만 쉬지 않고 나왔다. 다시 한번 죽을 힘을 내서 일어서야 아이들 데리고 살게 아닌가 하는 생각에 짜장소스를 볶기 시작했다. 배달직원을 새로 뽑고 허드렛일을 해줄 노인 한 분도 채용했다. 얼마가 지나자 영업은 그냥 물흐르듯 흘러가고 있었다. 문제는 학순씨의 의욕이 자꾸 처진다는 게 문제였던 것이다 무얼해도 재미가 없고 흥이 안났다. 옛날처럼 백화점에 가서 멋지게 골라입고 신고 들으면 의욕이 돌아올까하고 백화점에 갔지만 막상 아무것도 눈에 들어오지 않아서 한뭉치 돈다발을 그냥 들고오고 말았다.

그러던 차에 학순씨네 옆 건물 지하에 댄스 교습소가 들어왔으니 부식을 거래하던 가게 아주머니가 한번 가보자고 꼬셨다. 처음엔 무슨 소리냐고 손사래를 치다가 두세번 거듭되는 권유에 못이기는 척하고 따라 나섰다. 교습소 원장님이 두 사람을 놓고 테스트를 했는데 보기보단 몸치가 아니니 배우면 아주 잘 할것 같다고 띄워주는데 아니라고 사양을 하고 집으로 돌아왔지만 잠이 깰 때마다 생각이나 한참을 뒤척이곤 했다.

한달이나 지났을까 그 부식집 아주머니가 전화를 해서는 이번에 눈딱감고 한번 배워보자고 기회를 놓쳐버리면 영영 못하고 말거라고 바람을 넣어서 참다참다 자기도 모르게 배우자고 약속을 하고 말았다. 시간이 없는 두 사람은 저녁에 가서 개인교습으로 배웠다. 원장님과 또 한 분이 와서 두 사람 손을 잡아줘서 한시간씩 배웠다. 처음엔 계속 상대방 발을 밟아대서 송구스러워 어쩔 줄 모르다가 그것도 시간이 지나면서 무뎌지고 실력도 늘어서 허리도 유연하게 돌아갔다. 낮에가게 일을 보고 밤에 춤을 추니 몸은 피곤하지만 밤에잠도 잘자고 피부도 좋아지는 듯 얼굴이 환해졌다고 만나는 사람들이 말해줬다.

점점 기운이 나는것 같고 대수롭지 않은 말에도 웃음이 나왔다. 밤마다 둘이 만나서 교습소로 자연히 걸어 들어가는 것이었다. 반짝거리는 귀걸이에 목걸이 구두도 힐이 제법 높고 광택이 나는 것으로 신고 몸매를 살려주는 원피스를 사서 입었다. 꼬리가 길면 잡힌다고 부식집 아주머니는 그 동안 이상히 여긴 남편의 눈에 들키고 말았는데 중국집 주인이랑 같이 다니는데 내가 안나가게 돼서 거래가 끊어지면 우리만 손해 아니냐고 남편을 겁박해 그냥 눈감아 주는 걸로 합의를 보고 다닐 수 있었다. 춤 선생으로 온 아저씨나 원장은 성품이 점잖은 분들이라 1년이 지나도록 아무 뒤탈이 나지않고 다닐 수 있었다 그러던 어느날 춤 선생으로 온 아저씨가 암 선고를 받고 수술에 들어가는 바람에 새로운 선생님을불러와야 했다.

그날도 백화점에서 산 고급스런 냄새를 풍기는 향수를 뿌리고 몸매가 싹 살아나는 원피스를 입고 교습소에 들어서는데 황홀해 죽는 줄 알았다고 한다. 훤칠한키에 기름이 좔좔 흐르는 양복에 코가 뾰족한 구두를 신고 까만 안경테안으로 보이는 서글서글한 눈매에 쏙 빨려 들어갈 것 같은 남자가 반갑게 맞아 주는게 아닌가? 그 순간 꿈이라면 깨지 않길 기원했다. 연신 허리를 손으로 받쳐주며 자기 상반신을 학순씨 가슴에 대주고 미소를 지어주고 빙

글빙글 돌리기도 하고 지르박에 탱고에 정신을 반쯤 빼내고 있었다. 어떻게 한 시간이 지나갔는지 나갔던 정신이 제자리를 찾지 못했다.

어떻게 장사를 끝내는지 내일 쓸 짜장소스나 짬뽕 국물은 만들어 놓아야 하는데 온통 생각은 그 남자의 가슴이 와닿던 감각으로 덮여 있었다. 저녁이 되면 또 만나고 그 다음날 또 만남이 이어지면서 그 남자는 더욱 가까이 접근하고 학순씨는 블랙홀로 빨려 들어갔다. 춤 선생은 이미 학순씨의 모든 정보를 알고 있었지만 그런 사실을 학순씨는 알 턱이 없었으니 춤 선생이 속삭여 주는 모든 말이 진심으로 믿어졌다. 평생에 듣지 못했던 달콤한 말에 끌려 깊은 수렁으로 빠져드는 걸 건져낼 힘이 없었다.

드디어 식당으로 불러 들였고 하루 이틀 머무르면서 반항하는 아이들을 호리기 시작했다. 눈치챈 직원들 입을 통해 동네에 소문이 돌기 시작하자 손님들도 조금씩 줄어들기 시작했다. 어찌나 감언이설과 요령이 좋은지 아이들도 빨려들어 가고 있었다. 그 때를 노린 춤 선생은 혼인 신고를 하자고 학순씨를 조르기 시작했다. 아이들한테는 아버지가 있어야 되지 않겠냐는 것이다. 머리로는 아닌데 마음은 이미 포로가 되었으니 눈뜨고도 끌려들어가는 형국이었다. 길거리에서 만나는 사람들이 돌아서서 비웃기도 하고 두 사람만 모여도 수군대는걸 느낄 수 있었다.

그렇치만 학순씨의 마음속엔 '너희들이 내 인생을 책임

져 줄 사람이 아니라 오직 춤 선생 저 분이 날 책임져 줄 분이다'라는 확신으로 자신감마저 들었다. 자기와 혼인신고를 해서 부부만 되면 중국집 영업은 자기가 다 알아서 학순씨 고생 안시키고 하겠노라고 날마다 선언을 해서 그렇게 하기로 마음을 먹었다. 어느날 사진관에서 둘이서 사진 찍고 그 길로 가서 혼인신고를 마치고 아이들도 입적했다. 다행인 것은 성씨가 전 남편과 본은 다르지만 똑같아 그대로 이름을 부르면 되었다.

드디어 춤선생은 법적으로도 완벽한 가장이 되어 집안 산림을 간섭하기 시작하더니 이 동네 저 동네 다니면서 중국집을 권리금을 부쳐 부동산에 학순씨 몰래 내놓았다. 워낙 잘되었고 목이 좋은 가게라 보러 오는 사람들이 많았지만 비밀리에 춤 선생 하고만 면담을 하고 갔기 때문에 학순씨는 알 턱이 없었다. 드디어 가게는 비싼 권리금을 받고 팔아 넘겼고 앙노 날짜는 학순씨의 죽은 남편 제삿날 제를 지낸 후 영업도 쉬고 아이들이랑 성묘간 날로 정해 아무도 없을 때 새로올 주인이 들어온 것이다. 성묘갔던 학순씨가 아이들이랑 돌아왔을 때는 춤 선생 새 남편은 이미 권리금을 챙겨 줄행랑을 치고 집에 없었다.

전 남편 산소에 같이 가는 건 어색해서 집에 있겠다던 사람이 어디로 갔는지 안보이지만 잠시 볼 일이 있어 잠깐 나갔겠거니 생각했지 그런 엄청난 일을 저지르고 줄행랑을 쳤다고는 꿈엔들 생각할 수 없는 노릇아닌가? 아무리 기다려도 춤 선생 남편이 돌아오지 않자 학순씨는 혹시 식당에 가 있지나 않을까 하고 슬슬 식당으로 향했다. 식당 골목으로 들어섰는데 불이 환하게 켜진 중국집이 눈에 들어와 저 사람이 가게에서 뭘하는데 불을 환하게 켜 놓고 있을까 하고 들어 갔다. 그 순간 학순씨는 기절하는 줄 알았다. 전혀 모르는 사람들이 가게를 쓸고 닦느라 정신이 없는 것 아닌가. 당신들이 누군데 여기서 이러냐고 소리를 지르자 새로온주인이 나타나 당신은 누구냐고 나가라고 같이 소리를지르다가 멱살잡이를 했다. 놀라서 같이 있던 사람이 경찰을 부르고 학순씨는 너무 기가 막힌 나머지 쓰러져서 버둥거렸다.

그 때 경찰들이 들어와서 양쪽을 앉으라 하고 대화를 시작해 본 결과 사실이 밝혀졌다. 학순씨의 마음은 천갈래 만갈래로 찢어지는 것 같았다. 오 년전 남편이 갑자기 사고로 돌아가실 때보다 몇 배는 더 기가 막히고 숨이 가빠왔다. 하루 아침에 가게를 잃다니 애들 아버시와 어떻게 일궈낸 식당인데 한 순간 잘못 판단으로 내가 죽어서 애들 아버지를 어떻게 볼까 순간 많은 생각들이 스치면서 학순씨의 지난 날을 복사해줬다.

이러고 있을 때가 아니다 싶어 건물 주인에게 전화라도 해봐야 어떻게 된 일인지 알 것 같아서 겨우 건물 주인집 전화 번호를 기억해 연락을 해보니 돌아가신 건물주 사위가 유산으로 받아서 운영하는데 한번도 얼굴을 본 적은 없지만 아주 냉정하게 잘라 말했다. 어느 날 남편이라고 전화를 해서 가게를 내놓겠다고 하면서 세도 많이 올려

줄 사람이 있으니 계약을 하라고 해서 새 세입자와 계약을 했다고 한다.

춤 선생 즉 제비는 학순씨네가 쓰던 집기와 그릇 조리도구등 모든 일체를 넘겨주는 조건으로 어마어마한 권리금을 받아서 튄 것이다. 경찰서로 가서 고발할려고 했지만 법적으로 남편인 이상 고발 자체가 성립이 안됐다. 사면초가에 있는 입장으론 구제할 방법이 없었다. 그래도 아이들과 함께 살 집은 학순씨 명의로 되어 있으니 천만다행이라고 스스로 위로했다. 그럭저럭 아이들도 다 자라서 실업계 고등학교를 졸업하고 딸은 취업해서 직장에 다니고 있고 아들은 전문대 졸업을 앞두고 있었다.

어느 정도 추스린 학순씨는 이 동네에선 더 이상 남부끄러워 살 수가 없을 것 같아서 집을 팔고 다른 곳으로 이사를 가기로 마음먹고 부동산에 집을 내놓았다. 며칠이 안지나 매매가 이루어지고 여동생이 살고있는 옆 동네에 남향 집 반듯한 양옥 이층집을 계약해서 아래층은 학순씨네가 살고 이층은 세놓고 살았다. 학순씨는 다시 일자리를 찾아 일을 해야 아들 학비나 생활비를 쓸 수가 있는 처지라 중국집을 운영하던 경험을 살려 중국집 주방보조로 취업을 했다. 처음엔 주인이 반신반의하는 마음으로 받아주더니 무슨 일이든 성심성의껏하는 학순씨를 극진히 대우해주었다.

한 번 크게 실패한 학순씨는 한 눈 팔지 않고 일과아이들한테만 매진했다. 식당 주인이 주방장 몰래 찔러주는 웃돈까지 알뜰하게 모아서 저축도 하고 쓸데없이 옷을 사거나 사치품이라곤 아예 뒷전으로 생각하고 살다보니 세 식구가 살기에 부족하지 않았다.

그 제비는 어디로 날았을까? 가끔 생각이 올라왔지만 강남으로 갔는지 월남으로 갔는지 알 길이 없었다. 호적에는 버젓이 남편으로 붙어 있는데 누가 찾아내겠는가? 제비 노릇으로는 벌기 힘든 돈을 한몫에 챙겼으니 어디서라도 살기엔 부족하지 않을거고 배운 도독질이라 지금도 쉬지 않고 제비 노릇으로 어리석은 여자들 등골을 빼먹고 살려나 생각이 들면 분노가 치밀어 소리라도 지르고 싶은데 남의 이목이 있어 방바닥이라도 치고 만다. 딸은 좋은 남자 만났다고 후다닥 시집을 가버리고 아들은 졸업하고 직장에 들어가더니 못견디고 튀어나오고 튀어나오고를 몇번째 하고 있다.

그러나 학순씨의 실수로 이렇게 되고 보니 스스로 위축되고 다 큰 자식들앞에 체면이 말이 아니라서 서로들 데면데면 했다. 학순씨도 나이가 들고보니 젊을때부터 몸고생 마음고생 모든 고생을 겪다보니 몸이 무너져 여기저기 아파오기 시작했다. 그러던 중에 아들은 더 이상 직장에 들어가기 힘들다고 사업을 한다는 것이다. 자본금도 없이 사업은 무슨 사업 참으로 답답한노릇이지만 자식들한테 기가 죽은 학순씨는 그 동안 한푼두푼 모아놓은 비자금 통장을 건네주면서 이게 전 재산이니 죽이 되든 밥이 되든 해보라고 했다.

아들은 그 돈으로 가게 보증금을 내고 집기와 전화설치 건물 인테리어할 자재구입등 필요한 장비들을 구입해 사무실 여직원 한 명 채용하고 사업을 시작했다. 명함을 만들어 가게나 사무실 건물들에 가서 날마다 명함을 뿌리고 전봇대에도 붙여놓고 열심히 발품을 팔고다녔다. 그렇게 한달이 흐르고 두 달이 흐르는 중에사무실로 상담전화가 간간이 걸려왔지만 응대하는 여직원이 전문적인 지식이 없으니 사장님 들어오시면 연락을 준다는 응대로 전화번호만 받아놓아야 하는 실정이었다. 그러나 어물어물 하면 한달이 지나 직원 월급에다 사무실 월세와 각종 세금은 빠짐없이 나가야하니 학순씨가 준 기초자금은 바닥이 나고 있었다. 간간이 일이 들어오긴 하지만 벌이에는 별로 도움이 안되는 간단한 일이라 밥값을 빼고나면 남는 게 없었다.

직장에서 사람들한테 시달리는 것보다 낫겠다 싶은마음에 시작한 사업인데 사람들이 믿어주지 않으니 큰일을 주지 않아 목구멍에 풀칠하기도 어려운 건 당연한 일이다. 그러자 옛날 직장에서 알던 사람을 우연히 만나게 되어 몇사람을 모아 같이 해보는 게 어떻겠냐는 제의를 받았다. 처음엔 그게 될까 생각이 들었는데 시간이 지남에 따라 될 것같은 생각으로 바뀌었다. 다른 기술자 한 사람을 더 모아서 세 명이랑 투자금을 나눠내고 시작하기로 했다. 학순씨가 준 자금을 다 썼으니 더 이상 끌어올 자금이 없었다.

생각 끝에 살고 있는 집을 담보로 은행 대출을 받을 수 있는 길이 있다고 생각한 아들은 학순씨에게 조르기 시작했다. 이제 집 한채 덜렁 남았는데 그것 마저도 빼앗길 생각을 하니 한숨만 나왔다. 앞으로 돈도 없고 살 집마저도 없어지면 어떻게 해야 할지 아들이 새로 시작해 봐야 결과는 불을 보듯 뻔한 일인데도 아들을 이기고 안해줄 힘은 이미 상실 됐다는 걸 자신도 알고 있었다.

아들은 드디어 이층 양옥집을 담보로 은행에서 대출을 받아 사업을 다시 시작했다. 큰 사무실을 얻고 직원을 두 명이나 채용하고 삐삐를 개통해서 가지고 다니면서 연락을 주고받고 하는 식으로 영업을 시작했다. 명함을 뿌리기도하고 지역 신문에 광고도 내고 전단지도 제작해 나눠주는 온갖 방법을 다 동원시켜 열심히 뛰었다. 사업 자금은 셋이서 투자했으니 그래도 여유가 있었다.

가끔 일도 주문 들어오고 그 때는 건설붐도 일고 사람들의 시각이 고급스러워져서 음식점이나 커피숍등 사람들이 많이 드나드는 장소는 깨끗하고 멋지게 꾸미는 게 유행처럼 번졌다. 그 붐을 타고 인테리어 사업은 적자를 면하고 세 사람 인건비도 빠질 정도였다. 드디어 아들이 결혼도 해서 살림을 따로나고 은행이자도 꼬박꼬박 갚아나가고 있으니 별로 걱정이 없었다. 학순씨는 더 이상 몸이 안좋아 남의 일은 못하고 집에서 지냈다. 며느리는 임신을 해 점점 배가 불러 막달에 다다르게 되었다. 곧 손주도 태어날텐데 애기를 낳으면 집에 들어와 살아야 하나? 적적하게 혼자 사느니 손주라도 키우면서 살면 덜 외로울것 같아서다.

어느 날 아들은 기뻐서 어쩔줄 몰라 전화를 했다. 건물을 통으로 인테리어 할 공사를 따내 계약까지 마치고 자재를 구입하는 대로 작업에 들어갈 거라는 희망찬 소식이었다. 학순씨는 웬지 아들이 지 애비를   닮아 사업을 잘할 것같은 기대감이 들었다. 아들 사업은 연일 바쁘게 돌아가는 것 같았다. 일이 많아진 만큼 인건비도 많이 들 수밖에 없었다. 자재를 공급받는 것도 쉬운 일이 아니었다. 전국적으로 붐이 일다보니 공장에서 미처 공급을 해내지 못해 미리 자재값을 공탁하는 사례도 생겼다.

그러나 세 명이 손발이 잘 맞아 각자 일을 분납하니 더욱 속도도 그렇고 완성도 높게 잘 해나가서 고객들도 만족하는 편이었다. 통건물 공사가 거의 중반을 넘어서고 있을 때 일이 벌어지고 말았다. 그 날은 토요일이라 그 동안 고생한 인부들 회식이나 시킨다고 서둘러 마무리하고 음식점에서 술을 곁들인 식사를 하고 늦은 시간에 다들 집으로 돌아갔다.

세 명의 사장도 각자 집으로 들어 갔을 때 다급하게 건물주인이 전화를 해 불이 나서 다 타버렸으니 빨리 공사 현장으로 오라는 거였다. 전화를 받은 학순씨 아들은 오금이 붙어버렸는지 다리가 펴지지 않았다. 택시를 잡아타고 공사 현장에 가보니 불은 소방차가 와서 잡았지만 이미 건물은 숯덩이로 남아 있었다. 잔불이 잡히는대로 원인을 알 수있는 작업에 들어간다고 하지만 원인이야 그야말로 불을 보듯 뻔한 일이 아니겠는가? 불려 나온 세 명의 사장들은 오금이 붙었는지 일어서지도 못하고 땅바닥에서 기고 있었다. 이틀이 지난 뒤 감식반이 들어가 조사를 마쳤는데 원인은 전기 누전으로 나왔다. 빼도 박도 못하는 실정에 놓여 있었다. 대책을 강구해야 하는데 절망 속에선 더 이상 대안도 떠오르지 않았다. 주인은 다 헐고 신축을 해야 하니 새로 건물을 지어주던지 현금으로 변상하라고 으름장을 놓았다. 아니면 세 명 다 구속이다. 마른 하늘에 날벼락이 이런 경우를 두고 하는 말일거다.

하순씨는 어쨌든 아들의 구속은 막아야 하지 않겠나싶어서 집을 팔기로 했다. 어렵게 집을 팔고 달동네 방 한칸에 부엌 하나짜리 전셋집을 얻어 이사하고 은행 융자금을 갚고 나머지는 아들이 가져갔다. 세 명이 모아 봤자 건물 값을 물어주기도 힘들었다. 그렇게 아들에게 집도 절도 다 넘어가고 병든 몸에 단칸 셋방만 남아 있었다. 지나온 날이 너무 허무하고 분하고 억울해 울고 또 울어도 시원하지가 않았다. 남편이 사고만 안났어도 이런 신세는 되지 않았을 것을 춤바람이나 제비 그 놈만 안만났어도 처량한 신세는 되지 않았겠지 온통 후회와 통한이 흘러 넘쳤다.

자식들도 잘 찾아오지 않고 한 때는 태어날 손주랑 같이 살아 볼 기대에 없던 힘도 났었는데 모든 것이 일장춘몽이 되었다. 점점 집안에 들어앉아 밖에 나가는일이 적어지고 매사가 귀찮고 짜증이 났다. 동생이라도 가끔 들러서 먹을 걸 주고가면 얻어먹고 아님 그만이었다. 통장님이 찾아와 호구 조사를 해 가고 몇달 후에 동직원이 방문해서 실태 조사를 하더니 기초 수급자로 지정해 주어서 동사무소에서 쌀이랑 수급비 얼마를 매달 보내왔다. 그래도 학순씨는 의욕이 나지 않았다. 밥맛이 없으니 통 먹을 수가 없었다. 밤에 잠도 푹 못자고 자다깨다를 반복하고 뜬 눈으로 밤을 지새는 날이 많았다. 그러다가 몸이 가라앉으면서 자리에서 일어나지도 못하고 죽은 듯이 누워만 있던 날이 며칠이나 지난 지도 모른다.

꿈인지 생신지 사람들의 소리가 웅성거리고 나서 눈을 떠보려는데 마음대로 눈도 뜰 수가 없어 입을 오물오물 해보는데 누군가 살아있다고 소리쳤다. 그 때 눈이 떨어져서 살펴보니 낯선 사람들이 집에 들어와 있었다. 곧바로 엠브란스 소리가 나더니 이내 대원들이 들것을 가지고 들어와 학순씨를 태워서 응급실로 데려갔다. 이것저것 검사하고 링거를 맞추고 연락 받고 달려온 동생편에 집으로 돌려보냈다. 동생이 나서서 건강보험공단에 등급 신청을 해서 인지 5등급을 받은 것이다 .

그 때 내가 학순씨를 만나게 되었다. 밤마다 남편이찾아와서 자기가 벌어놓은 돈을 어쨌냐고 괴롭혀서 잠을 잘 수가 없다고 했다. 새벽 두시고 세시고 나에게 전화를 해서 빨리 오라고 했다. 나도 학순씨의 수시로 걸려오는 전화때문에 잠을 설칠 수 밖에 없어서 전화기를 꺼놓고 잠을 잤을 정도다. 잘 살펴보니 심한 우울증세가 있는 것 같아 정신과에 모시고 가서 치료를 받게 했다. 정신과 약을 드시면서 조금 안정되어 가서 밤에 잠도 잘 주무시고 낯선 사람에 대한 두려움이 심해 나에게도 느닷없이 가라고 쫒아내는 일도 없어졌다.

그런데 한가지 문제가 음식을 아무것도 할 줄을 몰라서 하다못해 라면도 못 끓였다. 더욱 더 힘든 것은 음식을 씹어 삼키는 걸 잊어버려서 사이다를 마시면서 음식물을 그냥 삼켰다. 지금까지 내가 경험한 치매 환자 그 어떤 분도 이런 경우는 처음이라 그 이유가 궁금해 한 올씩 실오라기 풀듯이 이학순 어르신에게 물어보았다.

그 분은 치매라도 기억력은 좋은 편이라 날짜까지 기억하는 부분이 많았다. 지금도 짜장면을 즐겨드시고 싶어 하셨다. 살면서 너무 큰 충격과 배신으로 사람들과 가까이 하는것을 싫어하셨고 수시로 히스테리컬해 지기도 해서 느닷없이 나에게 욕을 하면서 쫒아내기도 하고 깔끔한 성격이라 청소를 한다고 변기 안에 있는 물로 걸레를 적셔서 집안을 닦기도 하셨다.

보증금 사천만원에 세를 얻어 살으셨는데 그것 마저도 아들이 사업 자금에 쓴다고 빼내고 이학순 어르신을 내가 출근을 안하는 일요일 날을 골라 시설로 보내서 월요일에 출근 했을때는 이미 어르신은 집에 안계셨다.

7화 그리운 딸

일곱 번째로 강경순 어르신에 대한 이야기를 시작해 보겠다. 센터장님을 따라 면접을 갔을 때는 한 집에서 기초생활수급자 독거노인 여자 어르신 세 분이 함께 살고 있는 공동 생활을 하고 계셨는데 방한칸에 한분씩 쓰시고 거실과 주방 화장실 하나 보통 30평쯤 되는 일반 아파트 형식의 집인데 lh 공사에서 임대로 빌려주는 집이었다. 강경순 어르신은 머리에 빨간 두건을 쓰시고 무릎을 꿇고 몇시간 이고 앉아 계속 기도를 하고 계셨다.

기도의 목적은 마귀가 들어와 자신을 괴롭히니 마귀를 못들어오게 막아 달라고 하나님께 기도를 하는 것이라 하셨다. 귀는 난청으로 거의 안들리고 글씨는 이름자도 못쓰시는 일자무식 문맹이었기에 소통이 보통 어려운게 아니었다. 혼자 사신다면 상관이 없겠지만 여러 사람이 같이 한 공간에서 살다보니 어려움이 많겠다 싶어 강경순 어르신을 포기하고 싶었는데 센터장님의 간곡한 부탁으로 한글도 모르고 귀도 안들리니 도움받을 일이 있어도 옆에서 누가 도와주지 않으면 항상 소외되어 도움도 못받고 안타깝다는 것이다. 같이 계시는 할머니들도 서로 경쟁이 되어 강경순 어르신은 뒷전이라는 것이다.

한 집에서 세 사람이 같이 살지만 각자 자기 냉장고에 밥솥도 모든 생필품을 따로 가지고 사셨다. 기거하는 방도 보통 우리나라 주택 실내랑 똑같아서 햇볕 잘 들고 넓은 안방과 후미진곳에 있는 작은방 두 개가 같이있는 형태이므로 그 중에서 파워가 센 분이 좋은 안방을 차지하고 나머지는 알아서 방을 정해 기거하는 형편이었다. 그러다 보니 서로 불만이 많고 주방은 하나인데 각자 식사준비를 해야 하니 보통 알력다툼이 다반사 였다. 서로 협조가 되긴 힘든 상황이었다.

강경순 어르신은 소통에 어려움이 많으니 자연 이해도도 떨어지고 고집이 세져서 상대하기가 여간 힘든게 아니었다. 식사하고 화장실 가실 때를 빼면 거의 모든 시간을 무릎을 꿇고 앉아서 마귀를 쫓는 기도만 하셨다. 독거어르신이다보니 여기저기서 선물을 주시거나 먹을 걸 준비해서 오는 경우가 많고 우유나 요구르트를 매일매일 제공 받고 노인 복지센터나 주민센터 구청등에서 도시락과 그외 기증 물품들을 제공 받았다.

다른 두 분 할머니들은 귀도 밝고 한글도 읽을 수 있으니 모든 혜택을 잘 챙겨서 가질 수 있지만 강경순어르신은 항상 마귀가 두려워 방문을 꼭 닫고 앉아 기도만 하시고 그런데다 귀가 안들리니 밖에서 일어나는 일을 잘 알아채지 못해 누가 특별히 안챙겨주면 순식간에 놓치고 말았다. 요양이 시작되었는데도 내가 날마다 당신한테 왜 찾아오는 줄 모른다.

나는 어떻게 이 어르신과 소통할 수 있을까 날마다 답답한 노릇이지만 일단 지독한 냄새가 풍기는 방으로 들어가 문을 닫고 앉아서 성경책을 읽어주기로 했다. 날마다 한시간 정도씩 성경책을 읽으면서 강경순 어르신에게 말했다. 기도만 하지 말고 내가 성경책을 읽어드릴테니 하나님 말씀으로 잘들으시라고 그러면 마귀도 물러가고 두려움이 사라질 것이라고 단단히 일러드리고 하루에 한시간씩 알아 듣던지 못알아 듣던지 매일 읽어드렸다. 처음에는 막무가내로 나가라고 하시더니 나중에는 포기하고 계셨다.

일주일정도 지났을까 순한 양처럼 얌전해지시고 나에게 관심을 보이기 시작했다. 한글도 모르고 소리도 못듣는데 무슨 소리를 듣고 감동을 받았는지 눈물을 흘리기 시작하더니 몇 시간씩 울 때도 있었다. 그럼에도 불구하고 나는 출근을 해서 날마다 성경책을 읽어드렸다. 그러던 어느날 두꺼운 노트를 사오라고 하셨다. 그래서 출근길에 문방구에 들러서 준비해 갔다. 나에게 노트에다 당신이 하는 말을 빠짐없이 적어달라고 하셨다. 이제 본격적으로 당신이 살아오신 이야기를 시작했다. 태어난 곳은 전라남도 정읍이라고 하셨다. 부모님이 가난에 찌들어 4남매를 낳아서 기르셨는데 학교도 못보냈다고 했다. 강경순 어르신은 아주 어린 나이에 민며느리로 시집을 갔다고 한다. 설상가상으로 시집도 찢어지게 가난하고 남편이 무식하고 난폭하기까지해 평상시에도 조금만   수틀리면 폭력을 휘둘러서 공포스럽게 하고 술을 먹으면 없는 살림살이도 다 부셔버려서 정말정말 살기가 힘들었다고 한다.

2년 터울로 딸들이 태어났는데 큰 딸이 7살일때   하루는 딸이 음식먹은 게 체해서 괴롭다고 칭얼대며 보챘는데 그 아이를 고쳐줄 생각은 하지않고 느닷없이 때리고 마당에다 내동뎅이를 치고 해서 미처 말릴시간도 없이 그만 숨을 거두는 기가막히는 일이 발생하고 말았단다. 강경순 어르신은 얼이 나갔는지 손가락 하나도 꼼짝 달짝도 하지 못했다고 했다. 남편은 순간적으로 난동을 부리다가 예상치 못한 일이 벌어지니 숨이 끊어진 아이를 방구석 한 켠에 내동댕이 치고 어디론가 줄행랑을 치고 더 이상 나타나지 않았다.

방에 큰 딸 시신을 한쪽에 덮어놓고 다섯 살짜리 둘째 딸과 함께 며칠이나 지나 흘러갔는지 알 수가 없었다. 배고프다고 우는 둘째 딸아이에게 먹을 것을 챙겨주고 그 길로 옆 동네에 사는 시누이집을 찾아가 영문도 모르는 시누이에게 큰 딸이 죽어서 방구석에 시신으로 넣어 놓았다는 말과 둘째 딸을 부탁한다고 이야기한 다음 그냥 정신없이 시누이집을 도망치듯 뛰쳐 나왔다. 정처없이 걸어가다가 밤이 되면 길이나 어디라도 쓰러져 잠이 들고 깨면 또 걷고 목적지도 없이 한없이 걸었다고 한다.

태어나서 살던 동네밖을 떠나본 적도 없는 강경순 어르신이지만 어디라도 정착을 해야 하기에 걷고 또 걸어서 발톱도 빠지고 신발은 밑창이 다 떨어져 발바닥이 맨 땅에 닿아서 피가 났다고 했다. 들길을 걷다가 고구마 밭을 만나면 남몰래 날고구마를 캐서 먹고 감자밭을 만나면 날감자를 캐서 그냥 먹고 그러다가 주인한테 들켜서 물씬 두들겨 맞기도 하고 인심 좋은 사람들을 만나면 김치를 반찬으로 한끼 주린 배를 채우기도 하면서 방향도 모른 채 떠돌아 다녔다. 어떤 동네에 들어갔을 때 미친 여자가 왔다고 누가 경찰서에 신고를 해서 경찰들이 와서 강제로 경찰서로 끌고가서 취조를 하는데 엉뚱한 소리도 하고 아무 말이나 횡설수설하는 바람에 용인에 있는 정신 병원으로 이송되었다.

거기서 얼마를 지냈는지는 정확히 모른다. 어느정도 지내면서 정신을 차려보니 낯설고 주변에 있는 사람들이 비정상으로 판단되어졌다. 개별적인 의사소통은 불가능하고 감시하는 사람들이 들어줄려고 하지도 않았다. 완전 개돼지 취급을 받고 있다는 것을 알았다. 밤마다 약을 먹으라고 줬다. 먹고나면 아주 졸려서 금방 잘 수밖에 없었다. 그중에서 약간 정신이 맑은 사람들이 이야기를 해줬다. 이 약은 수면제라고 그래서 그 다음부터는 약을 주면 먹는 척만하고 화장실 변기에 넣고 시치미를 뚝 뗐다. 감시는 아주 심했는데 그래도 틈새는 있었다. 눈뜨나 감으나 항상 큰 딸 시신을 이불로 덮어놓고 같이 지냈던 생각에 자신도 모르게 늑대 울음소리 같은 울음이 나올 때면 감시하는 사람들이 달려들어 질질 끌어다가 어떤 컴컴한 방에 쳐 밀어넣고 밖에서 철문을 잠가버린다. 그러다가 식사 때가 되어야 문을 열고 끌어낸다. 자신도 미쳐서 제 정신이 아니지만 그런 사람들이 한 두명이 아니었다.

여기선 도저히 살 수가 없다고 판단이 들었을 때 무슨 수를 다해서라도 여기서 탈출을 해야겠다고 마음을 먹고 있던 어느 날. 그 날도 자신도 모르게 또 큰 딸 시신이 눈 앞에 있는것 같아 늑대 소리를 지르고 난동을 부리다가 감시하는 사람들에게 질질 끌려 독방으로 들어가긴 했는데 나중에 철문 잠그는 소리는 못들은 것 같았다. 순간 정신이 번쩍 들면서 탈출을 해야겠다는 생각이 들어 문쪽으로 살살 기어가 가만히 문을 앞으로 밀어 보았다.

이게 웬일인가 문은 힘없이 뒤로 밀려 나가는 것이 아닌가. 몸뚱이 하나만 빠져나갈 만큼 문을 민 다음 엉금엉금 기어서 복도로 일단 나가 보았는데 아무도 보이지 않았다. 밖이 어슴프레 한 걸보니 새벽 동트기 전인것 같았다. 평상시 숙소에서 보이던 길이 난 곳이 있는데 항상 그 길로 달려 나가고 싶었다. 그 길을 쉽게 발견하고 이른 새벽에 맨발로 내달려서 어디쯤 왔는지 산 구릉에 들어 앉아 외부에선 잘 보이지 않던 정신병원 건물 주변이 저 멀리로 작게 보이고 아침 하늘로 변해 주변이 밝게 빛났다.

그래도 강경순 어르신은 겁나고 두려웠다. 갑자기 경찰이라도 나타나 잡혀가면 어쩌나 했지만 어서 큰 도로가 나타나기를 바라면서 무작정 걷고 또 걸었다. 어디로 가야 서울로 가는 길인지 한글도 모르는 어르신은 이정표를 보아도 도무지 알 수가 없었다. 그냥 감각으로 밖에는 알 길이 없었다. 이제는 아무리 뒤를 돌아보아도 정신병원이 있던 숲은 더 이상 보이지 않았다. 지금 걷고 있는 주변으로 집들이 군데 군데 보이기 시작하더니 점점 더 집이 많고 사람들이 다니는 걸 보니 시내로 들어온 것이 확실했다.

긴장이 풀리니 배도 고프고 다리도 아픈데 맨발이었다. 수중에는 땡전 한푼도 없는데 어디서 허기진 배라도 채울 수 있다는 말인가. 너무 허기가 지고 피곤이 밀려와 비틀거렸다. 마침 그 때 지나가던 두부 파는 아저씨가 강경순 씨를 보고 측은한 마음이 들었는지 김이 모락모락나는 순두부에 양념간장을 끼얹어 한그릇 퍼줬다. 그 것을 보는 순간 눈이 확 뒤집혀지는 것 처럼 온통 순두부 그릇으로 확 꽂혀 버렸다. 그냥 염체도 없이 한 그릇을 더 달라고 사정을 했더니 "기왕 선심을 베푼 것 요기나 하고 가세요" 하면서 한 그릇 더 주었다. 두부 두 그릇을 게눈 감추듯

하니 침침했던 눈이 밝아지는 것 같았다. 이 두부 아저씨 공은 평생동안 못잊겠구나 하는 생각이 들었다. 고맙다고 인사를 공손하게 하고 서울로 갈려면 어디로 가야 하냐고 살며시 물어 보았다. 여기서 거기로 갈려면 버스를 타고 가야지 걸어서는 못간다고 했다. 버스는 돈이 없어서 못타고 걸어갈 수밖에 없다고 말했다. 아저씨는 맨발로 어떻게 서울까지 간다는 건지 딱하고 안됐지만 순두부 한사발이야 먹일 수있지만 신발은 힘들다는 뜻으로 고개만 흔들었다. 순두부 아저씨가 가르쳐 준 방향으로 큰 길을 향해 계속 걸었다.

어느 덧 해가지고 어두워 지고 있었다. 몸은 하루종일 순두부 두 사발 먹고 걷고 또 걷고를 반복하니 다리가 아파 그냥 주저 앉기만 해도 못 일어날 것 같았다. 아직 서울은 멀었는지 띄엄 띄엄 가로등만 있고   집들이 나타나질 않았다. 다리는 이미 힘을 잃고 비틀댄지 오래다. 그러나 여기는 나무가 많아서 잠자리를 하기엔 적당치 않아 몸누일 수 있는 평평한 곳을 찾아 안간힘을 쏟으며 발을 옮겨서 마침내 잔디가 덮여있고 약간 평평한 곳에 자신도 모르게 쓰러지고 말았다. 얼마를 잤을까 간간이 자동차 소리가 들리고 동이 훤히 밝아오기 시작했다.

정신병원을 탈출한지 만 하루가 지난 것이다. 아직 얼마를 더 가야 서울에 도착이 될까? 서울 원서동에는 강경순 어르신의 남동생이 살고 있다. 한번도 가본적은 없지만 아주 오래 전에 부모님 기일에 왔던 남동생 내외가 알려준 주소를 기억하고 있었다. 강경순 어르신은 한글을 모르는 대신에 다른 기능은 보통 사람들의 두배씩 될 것으로 보여졌다. 외모도 훤칠하니 한 마리고고한 학처럼 생겨서 고전 무용을 하면 잘 어울릴것 같은 단아한 분위기에 상황 판단하는 눈치는 백단이다. 숫자 계산도 빠르고 기발한 아이디어도 넘친다. 나름 인정도 있으시고 판단은 정의롭다. 남동생네가 거지꼴을 한 누나를 반겨줄 지는 의문이지만 지금은 한치의 망설임도 사치 아닌가 싶었다. 이제는 정신병원에서 날 포기하고 찾지도 않을 것이라 생각하니 긴장이 풀리면서 배도 고프고 발바닥 다리가 내 몸이 아닌것 같고 너무나 지쳤다. 그래도 동네가 있는 곳에 가야지 구걸이라도 해서 요기라도 할게 아닌가 싶어 죽을 힘을 다해 걸었다.

한낮이 되니 볕은 제법 따가웠다. 사실 지금 날짜도모르고 산지 오래된 것 같았다. 내 인생은 어디로 흘러 가는가? 문득 죽은 큰 딸을 떠올리던 자리에 이런 의문점이 들자 한숨만 길게 나왔다. 어차피 꼬인 인생 이 얼마나 더 꼬이겠는가? 생각 삼매경에 빠져 얼마간은 걸었다. 저 멀리 보이는 언덕으로 집들이 하나 둘 보이는 것이었다. 저기는 어디쯤일까? 호기심으로 힘이 났다. 이젠 배고픔도 잊었는지 느낌도 안났다. 도로에 차들도 더 많아진 것 같았다. 그러나 사람은 어디에도 보이지 않았다. 얼마나 더 가야 서울이 나올까? 어떻게든 걸어가야 살 수 있고 포기하면 길바닥에서 아사 할 지경인지라 더 힘을 내서 걷기로 했다. 큰 길을 따라 무작정 서울을 향해 걷는데 걸음이 똑바로 걸어지지가 않고 술취한 사람처럼 비틀비틀 댔다. 배고프고 지치니까 정신도 혼미해졌다. 뒤에서 달려오는 차 소리도 아주 희미하게 들렸다. 가만히 생각해보니 둘째 딸을 팽개치고 집을 나올 때부터 소리가 잘 안들렸던게 아닌가 싶었다. 요즘은 어떤 소리도 옛날처럼 선명하게 들리지 않는게 틀림이 없었다.

그런 생각에 몰두하면서 걷고 있을때 뒤에서 크락션 울리는 소리가 아련하게 들리더니 어떤 트럭이 강경순 어르신 앞에서 멈추어 서더니 나이가 들어 보이는 운전기사가 어디가는 길이냐고 소리를 질렀다. 그러나 그 소리가 잘들리지 않아 대답을 안하니 차에서 내려 강경순 어르신을 붙들어 세워서 차에 타라고 했다. 계속 걷다 보면 길에서 객사할 것같으니 목적지까지 데려다 준다고 해서 트럭 짐칸에 앉았다. 강경순 어르신은 너무 고마워서 꿈인지 생신지 분간이 안 갈 정도였다.

강경순 어르신은 한 번도 가본 적이 없는 주소만 아는 동생이 사는 동네에 덩그러니 내려주고 트럭운전수는 가버렸다. 이제 번지수를 가지고 집을 찾아내야 하는데 어디로 가서 도움을 구해야할까 하다가 동사무소를 찾기로 하고 사람들에게 물어 들어가자 행색이 하도 이상하니까 다들 이상한 눈초리로 쳐다보는 것이었다. 어떤 직원이 직접 도와주겠다고 나서서 남동생집은 쉽게 찾아냈다.

남동생 부부는 너무도 예상 못한 일이라 입을 다물지

못했다. 그런데다 처음으로 찾아온 누나가 행색이 말이 아니고 귀도 안들려 의사 소통도 어렵고 얼이 빠진 것인지 미쳐버린 것인지 통 분간이 안가는 그런 몰골로 느닷없이 들이닥친 일이라 어찌할 바를 몰라했다 강경순 어르신은 모든 긴장이 풀리니 몸을 가눌 수가 없어서 겨우 차려주는 밥을 먹고 몸을 씻은 다음 자리에 누웠다. 다시 일어나는데 까지 걸린 시간이 얼마나 지났을까? 너무 배가 고파서 눈을 뜨니 동생이 이틀 만에 깼다고 했다.

이틀이나 흘렀다니 믿어지지 않은 시간이었다. 용인정신병원 에서 탈출해 서울 원서동에 있는 동생네에 온 일이 잠깐 지나간 꿈만 같았다. 탈출에는 성공했지만 앞으로 어떻게 살아야 하나 걱정이 이만저만이 아니었다. 남동생이 누나 입을 옷도 사오고 신발도 사와서 잘 맞는지 신어보고 입어보라고 재촉했다. 옷을 갈아입고 나니 어떻게 된 일이냐고 동생이 물어 보았다. 강경순 어르신은 그동안 있었던 이야기를 가감없이 해줬더니 남동생은 경악을 금치 못했다. 시골에 두고 온 둘째 딸은 어떻게 되었을까 죽은 큰 딸 시신은 처리했는지 등 생각이 이것저것 아무거나 부분적으로 떠올랐다가 사라지고 머리가 어지럽기 시작했다. 내 머리가 이상해진건 아닐까 하는 의심이 들어 정신을 차려 볼려고 애를 썼다. 정신병원에서도 느닷없이 소리를 지르는등 땅을 치고 발버둥을 치다가 어두운 방에 끌려 들어가서 갇히곤 했는데 여기서 또 그러다간 죽을 힘을 다해 찾아온 남동생의 집에서도 쫓겨나기 십상이라 조심하지 않으면 안되었다.

그나저나 얼른 기운을 차리고 어디 일자리를 찾아야 하는데 하는 생각으로 마음이 바빠졌다. 맞벌이를 하는 동생 부부덕에 낮에는 혼자만 집에 있었다. 식구들이 다나가고 나서 혼자 동네를 여기저기 돌아 다녀 보았다. 옆에는 창경궁이 있고 서쪽으로 더 가니 광화문도 있고 경복궁도 있었다. 하루는 동쪽으로 하루는 서쪽으로 다니면서 지리를 익혀 두었다. 돌아 다니면서 전봇대에 붙어있는 전단지를 뜯어서 가지고 와 동생이 들어오면 물어보았다. 뭐라고 써놓았는지 혹시 일자리 광고하는 건 아닌지 궁금해서였다. 어떤 건 부동산에 관한 거였고 어떤 것은 구인광고 상품광고등 다양한데 한글을 모르는 강경순 어르신은 종이만 보면 다 떼어와서 한 뭉치씩 되었다.

어느날 청소부를 구한다는 전단지에 동생이 전화를 했더니 아주머니가 전화 받아서 일할 사람이 여자라고 했더니 좋다고 면접보러 오라고 해서 동생이랑 같이 갔다. 동생 집에서 멀지 않은곳에 있었는데 삼층짜리 건물에 사무실 상가가 세들어 있고 삼층은 주인 아주머니 혼자서 살고 있었다. 그 위에는 옥탑방이 있는데 창고처럼 쓰고 있어서 온갖 잡동사니 짐들로 차 있었다. 건물 전체를 날마다 출근해서 청소를 하는 거였다. 일자리를 얻은 강경순 어르신은 이보다 좋을 수는 없었다. 튼튼한 몸은 타고났고 시골에서 농사일을 하면서 살아온 터라 이런 일쯤이야 식은죽 먹기로 쉬웠다. 날마다 점심 도시락을 싸가지고 출근해서 청소를 하기 시작했다.

하루에 다하기엔 건물이 너무 커서 하루에 할 분량을 나누어서 청소를 해나갔다. 주인 아주머니는 기존에 하던 분이 나이가 들어 힘들다고 그만 두어서 아쉽던 차에 청소할 대상자가 있다는 것만으로 반가워서 받아들인 형편이라 잔소리도 안하고 그냥 지켜보고만 있었다. 시골 사람이라 잘할까 하고 반신반의하는 마음이었는데 한 열흘 시켜보니 힘도 있고 깔끔한 성격이라 계단에 박힌 신주가 빛이 나고 있었다. 어디든 손만 대면 반짝반짝 빛이 나게 해서 마음에 쏙 들었다. 한보름 지나니 건물 전체가 깨끗해졌다. 일이 손에 익은 강경순 어르신은 시간이 되는 대로 삼층 주인 아주머니집을 살펴보고 청소할 거리를 찾아 깔끔하게 치우고 닦아 주었다. 이를 눈여겨본 주인 아주머니가 집안 청소까지 해주면 돈을 더 주겠다고 했다. 이를 고맙게 생각하고 집안을 반짝반짝하게 쓸고 닦았다 .

그러다 보니 점심도 먹여주고 식사하고 설거지랑 냉장고며 주방 곳곳을 정리 청소를 했다. 이래서 도시락을 준비하는 일도 필요 없어졌고 사무실에서도 한달에 얼마씩 내기로하고 청소를 시켜줘서 강경순 어르신은 사무실 직원들이 퇴근한 후에 사무실 청소를 해야하니 밤 늦은 시간까지 해야 청소를 마칠 수 있었다. 딱하게 여긴 아주머니가 안쓰는 옥탑방을 정리하고 쓰라고 했다. 너무도 반가운 나머지 팔짝팔짝 뛸듯이 기뻤다. 동생 집에서 나와 독립을 할 수 있다니 얼마나 바라던 일인가? 당장에 옥탑방에 쌓여있던 가구며 잡동사니를 지나가는 고물상 아저씨를 불러서 팔만한건 다 골라가게 하고 그 대신 무거운 가구들을 밑에 까지 내려다 놓는 일을 해주게 했다. 그렇게 해서 정리를 마치고 대충 도배도 하고 쓸만한 집으로 바꾸어 놓았다. 옥탑방은 주방도 딸려 있어서 아쉬운 대로 혼자 살기엔 안성맞춤 이었다. 그 동안 동생집 에서 신세를 지고 살다가 독립을 하게 되니 동생 내외 한테도 반가운 일이었다.

열심히 청소를 해 돈도 얼마정도 모아 놓았는데 한글을 모르니 돈을 은행에다 저축하기도 의심스러워 월급을 받으면 집에다가 쌓아놓고 살았다. 그것을 안 남동생 부인이 강경순 어르신을 설득해 돈을 불려 줄테니 자기한테 맡기라고 했다. 처음에는 의심이 들어 안주었는데 시간만 나면 와서 달라고 보채는 바람에 하는 수없이 내어 주고 말았다. 돈을 가져갈 때마다 장부에다 자기가 적어 놓았는데 한글을 모르니 뭔지 알 수가 없어서 답답한 마음이었지만 어쩔수 없었다. 시골에서 평생 농사일이나 하면서 돈을 별로 만져본 일도 적고 한글을 아예 모르니 얼마 짜리 돈인지 당연히 잘몰랐다.

이제 돈부터 알아야 겠구나 싶어서 우선 색깔로 구분을 하기로 하고 당신 나름대로 규칙을 정해놓고 밤마다 돈을 꺼내서 공부를 했다. 그리고 숫자는 건물 호수를 보면서 몇 주 동안 익히다 보니 1에서 5까지는 알 수 있었고 그 다음 숫자는 달력을 보면서 연습을 했다. 워낙 지혜로운 분이라 나름대로 방법을 찾아내서적응하는 데는 귀재시다. 이렇게 배운 숫자로 올케가 빌려간 돈을 다른 장부에 혼자만 아는 방식으로 적어놓았다. 건물 청소로 받는 돈은 쓸 줄도 잘 모르고 쓸일도 별로 없다 보니 몇 달만 지나면 꽤 많은 돈이 되어 계속 숫자 공부를 해야 돈이 얼마나 모였는지 알 수 있었다. 올케는 어느 정도 지나면 으례 와서 돈을 얼마씩 가져갔다. 시누이가 돈을 불릴 줄 모르니 자기가 이자놀이를 해서 불려주겠다는 조건이다.

강경순 어르신은 그 말에 처음엔 기쁜 마음으로 돈을 내주고 했는데 액수가 많아지니 내심 불안하기는 했다. 그래서 올케가 돈을 요구하면 청소비를 못 받았다고 거짓말을 하면서 안 줄때도 있었다. 어느 날은 남동생 부부가 오더니 집을 계약했는데 거기에 누나 돈이 다 들어갔다고 했다. 그럼 내 돈은 언제 줄려고 그러냐고 했더니 누나 방을 따로 줄려고 큰 집을 샀다는 것이었다. 누나가 여기서 나오면 지낼 방을 줄거니까 걱정하지 말라고 동생이 말했지만 기분이 나빴다.

어차피 집은 저희들 집인데 방만 떼어서 나를 줄 수도 없는데 무슨 소린가 생각하니 억울한 마음에 갑자기 정신줄을 놓고 말았다. 주변 사람들이 알까봐 그 동안 얼마나 정신을 가다듬고 살았는데 자신도 모르게 짐승같은 소리를 질러대니 당황한 동생 부부가 누나를 붙들고 입을 틀어 막으며 진땀을 빼고 있었다. 강경순 어르신도 정신을 차릴려고 갖은 애를 써서 얼마후에 본 상태로 돌아왔다.

가까스로 위기를 모면한 뒤 남동생 부부는 줄행랑을 치듯 돌아갔다. 강경순 어르신은 너무 억울해서 그 때 올케가 적은 장부와 자신이 적은 장부를 사십 년을 간직하다가 나에게 보여주었다. 그렇게 삼 년이 넘은 기간동안 벌은 돈은 결국엔 동생이 집을 사는데 모두 들어 갔다. 이젠 누구도 못믿는다.

한편으로 생각하면 남동생 때문에 위기를 넘길 수 있었고 서울에 와서 일자리를 얻어사는 것을 생각하면 그만한 돈쯤이야 어쩌랴 싶어서 포기 할려고 해도 마음 한 구석에서 억울함이 문득문득 올라왔다. 아침 일찍부터 주인집에 가서 청소하고 밥하는걸 거들다가 아주머니한테 아침밥을 얻어먹은 다음 설거지를 마치고 상가가 있는 1층을 청소하고 계단 청소를 하고 나면 정오가 된다.

그러면 3층 주인집에서 점심밥을 준비해서 같이 식사를 하고 정리한 뒤에 빨래를 한다. 앞마당에 있는 화단과 마당을 손보고 옥탑방을 청소한 뒤 잠깐 쉬었다가 저녁때 사무실 직원들이 퇴근을 하면 2층 각 사무실 전체와 화장실 청소로 마무리한 다음 저녁 식사를 마치고 나면 밤 10시쯤되어 몸은 피곤하기 이를데 없다. 다른 생각할 틈도 없이 자리에 누웠다. 일어나면 다음 날 아침이 된다. 다람쥐 쳇바퀴 돌듯이 날마다 이렇게 산지 10년이 넘었다. 이제는 모든 일이 몸에 익어 자동적으로 몸이 알아서 일을 소화해 냈다.

지난 날의 끔찍한 일로 얻은 마음의 병도 몸을 기계처럼 움직이고 세월이 흘러 빛바랜 빨래 같았다. 그러나 시누이집에 맡기고 온 둘째 딸은 어떻게 되었는지궁금했지만 혼자 고립된 채 살아가는 처지라 어디서 건너 들을 수도 없다는 게 마음이 아팠다. 시누이집에 전화라도 해보려고 공중전화에서 몇 번 수화기를 들었다 놨다를 해보았지만 도저히 용기를 낼 수가 없었다. 가장 큰 이유는 죽은 큰 딸 시신이 일주일이나 지난 채 작은 딸과 함께 남겨놓고 나왔다는 사실에 강경순 어르신도 몸서리가 쳐져서 정신이 혼미해지는데 그 일을 겪었을 시누이 내외에게 무슨 면목이 있겠는가?

그래도 공중 전화 박스에 큰 용기를 내 들어가 수화기를 들고 동전을 투입하고 삐~ 소리가 나면 그때부터 심장이 천둥치듯 쿵쾅거리고 하늘이 노랗게 변하고손이 얼어 붙어 번호를 돌리지도 못하고 수화기를 던져버리고 그냥 나오기를 몇 번이나 하고 나니 점점 더 용기가 나지 않았다. 후들거리는 다리를 끌고 옥탑방에 돌아올 때는 겨울에도 진땀을 흘려 속옷이 축축했다. 방에 들어가면 쓰러져서 한참은 누워있어야 힘을 얻을 수 있었다. 시누이도 넉넉한 살림이 아니니 돈이라도 모았다가 둘째 딸 양육비로 줘야겠다고 생각해서 방에 있는 옷장 뒤 장판밑에다 벌은 돈을 깔아 놓았다. 겉으론 절대 표시가 안나니 혹시 동생부부가 와도 발견이 안될 것이다.

언제부터인가 어떤 여자들이 1층 상가를 돌면서 전단지를 건네주고 가는 것이었다. 처음에는 한글도 모를 뿐더러 바쁘기도 하니 별 관심을 안두었는데 자주 왔다갔다 하면서 인사도 아주 상냥하게 건네고 공손하게 대해주는 모습에 자기도 모르게 마음이 가서 한 번 말이라도 걸어보고 싶었다. 아무도 자신에게 인간적으로 대해주는 사람도 없고 말 한마디라도 웃으면서 친절하게 대해주는 사람이 없는데 저 사람들은 왜 나같은 사람을 차별하지도 않고 좋아하는 것처럼 대할까? 하고 궁금했다.

그러던 차에 어느 날 그 사람들이 오더니 강경순 어르신한테 화장실을 물어보았다. 그래서 건물 공동화장실을 열쇠로 열어 주었다. 화장실에서 나온 그 사람들이 가지고 다니던 전단지를 주면서 아주머니도 교회에 나오라고 했다. 귀가 어두워 겨우 알아들은 강경순 어르신은 그곳이 어디에 있냐고 물어 보았다. 그 사람들도 누구도 반응을 안해주는데 관심을 보여주니 너무도놀라워 대뜸 어디에 사는 지를 물어보며 거머리처럼 달라 붙었다. 신이 난 강경순 어르신은 하던 청소를 팽개치고 그 사람들을 데리고 옥탑방으로 데려가서 알려주었다. 이게 웬 제삿상에 올라온 돼지 머리냐고 생각된 그 사람들은 얼굴에 밝은 미소는 물론 경순씨를 어루만지며 칭찬의 말을 아낌없이 쏟아내며 혼을 빼놓았다. 일요일 날 몇시까지 데리러 올테니 준비하고 기다리라는 말을 남기고 돌아갔다.

그 날까지는 삼일이 남았는데 갑자기 집을 비우면 주인 아주머니가 뭐라고 생각할까도 걱정스럽긴 했지만 자신을 처음으로 따뜻한 말로 인정해주는 그 사람들이 기다려졌다. 하루하루 순서에 맞춰 일을 하다 보니까 어느 새 약속한 일요일이 다가왔다. 아침 일찍 일어나 번개같이 일을 해 놓고 옷을 갈아입고 약속한시간을 기다렸다. 시간이 되니 어김없이 그 사람들이 와서 경순씨는 설레는 마음으로 따라나섰다. 버스를 타고 미아리 고개를 넘어 계속 달리고 있었다. 서울이라는 곳에서 살고 있는 지도 10년이 넘었지만 일하는 곳에서 이렇게 멀리 떨어진 곳에 와 보는건 처음이어서 서울이라는 곳이 이렇게 넓구나 생각했다. 더 멀리 갈 수록 경순씨가 살고 있는 종로보다 더 후미져 보였다. 버스를 갈아타고 장위동에 내려서 교회로 찾아갔다.

그 곳에는 약 백 여명되는 사람들이 모여 찬송가를 부르고 있었다. 난생 처음 만나는 풍경이라 어리둥절했지만 낯선 사람들이 반갑게 맞아주고 안내도 잘해주니 금새 어색함은 사라지고 기분도 괜찮았다. 무엇보다 버스타고 멀리까지 와서 세상 구경을 할 기회가 생기니 속이 후련해지면서 묵은 체기가 쑥 내려가는 것 같았다. 시간이 되니 목사님이 강단에 올라와서 설교를 하는데 무슨 말을 하는지 귀도 잘 안들리지만 의미도몰랐다. 그러나 여기에 모인 사람들은 친절하고 온순해보이고 담배도 피우지 않으니 더욱 신뢰가 갔다.

예배가 끝나자 경순씨를 데리고 온 사람들이 여러 사람들 앞에서 경순씨를 소개하자 모든 사람들이 박수를 치면서 반갑다고 환영 해주니 오히려 어찌할 바를 몰랐다. 점심을 같이 먹고 아침에 만났던 사람들과 같이 돌아왔다. 오늘 하루는 너무도 보람되고 새로운 세상을 만난 것처럼 신비롭고 벅찬 하루였다. 그 사람들은 날마다 강경순씨를 교회에 데리고 갈 수 있다고 언제 시간이 있느냐고 물어 보았다. 하지만 경순씨는 주중에는 바쁘고 일요일만 갈 수 있다고 약속하고 돌려 보냈다. 다음 번엔 하나님한테 헌금을 내야 하니까 돈을 준비하라고 알려주고 그 사람들은 돌아갔다.

돈을 준비하라고 하니 돈을 뜯어갈 마음으로 자기한테 친절을 베푸나 싶은 생각이 들었다. 하지만 어릴 때 어머니가 절에 갈 때도 불전 이라고 돈과 쌀을 준비해 가시는 걸 본적이 있어서 교회라는 곳도 돈을 내는구나 싶었다. 아무튼 자신을 반겨주고 사람같이 대해 주는 곳이 있구나 하고 생각하니 웬지 모르게 마음이 든든하고 다음 주가 기다려졌다. 일주일이 어떻게 후딱 흘러갔는지 일요일이 되니 그 사람들이 어김없이 데리러 왔다. 또 버스를 갈아타고 교회로 가서 이번엔 예배시간에 헌금을 하고 찬송가를 듣고 설교를 듣고 점심을 함께 먹은 후 돌아왔다. 저번보다 달라진 점은 헌금을 교회에 내는데 있었다. 피땀 흘려 벌어 한 푼도 못쓰고 모아놓은 돈인데 아무런 보상도 없이 어디에 주고 온다는 것이 조금 꺼림직 했다. 다음 주부터는 가지말까도 잠깐 생각해 보았으나 금새 자신을 사람으로 상대해주는 곳은 거기 밖에 없는데 하고 가기로 결심했다.

어느 날 남동생이 찾아와 집을 이사했으니 한번 오라는 거였다. 남동생과 이런저런 이야기를 나누었지만 교회에 나간다는 이야기는 하지 않았다. 혹시 못가게 하지 않을까 하는 두려운 마음이 있어서다. 다달이 받는 월급이 방바닥에 쌓일수록 경순씨는 집에 누가 오는게 두렵고 집단속을 확실하게 했다. 남동생이 오래 있으면 또 돈을 요구하기도 하고 장판 밑에 돈을 넣어놓은 걸 눈치라도 챌까봐 어서 가라고 재촉해 약간 당황해하는 남동생을 돌려 보냈다.

돈이라는 게 이렇게 사람의 마음도 변화시킨다는 걸 알았다. 일주일에 한 번씩 교회에 나가면서 마음이 달라졌다. 다른 사람들은 옷도 화려하게 입고 가방에 구두를 신고 화장이며 머리 손질도 멋지게 하고 다니는데 자신만 꼬실꼬실하고 초라한 것같아 옷이라도 사입고 화장품도 사서 발라야 겠다고 생각해 시장으로 갔다. 옷가게에 갔더니 옷도 하도 많아서 어떤 옷을 골라야할지 몰라 망설이다가 그냥 나오려는데 가게 주인이 붙들어 옷을 골라주는데 입어보는 것마다 멋져 보였다.

주인이 골라주는 건 모두 멋진데 자신 눈엔 왜 하나도 못찾아 냈을까 싶어서 속으로 웃음이 나왔다. 그렇게 옷을 사고 구두와 가방을 사고 화장품을 팔러 다니는 아주머니한테 화장품을 사고 바르는 법도 배웠다. 그 다음에 교회에 갈 때는 새로 구입한 옷이며 구두를 신고 화장을 곱게 하고 나서니 지나가던 동네 사람들이 금방 못 알아보고 무슨 일이냐고 했다. 경순씨 자신도 차려입고 거울앞에 서면 다른 사람인 양 착각할 정도다. 자신감이 생기니 계속 새로운 옷에 대한 갈급함이 생겨서 시간만 나면 옷가게를 기웃거리다가 옷을 사오는 일이 많아졌다. 교회에 가면 사람들이 멋있다고 추켜 세우고 칭찬을 해주니 없던 용기도 용솟음쳐서 교회에서 요구하는 건 뭐든하고 싶어졌다 .

처음엔 감사헌금이라고 해서 내게 하더니 점점 더 종목이 많아지고 호응을 안하면 안될 것 같아서 내라는 건 주저하지 않고 헌금했다. 어느 새 교회에선 유명세를 얻어 헌금이며 멋진 옷과 구두등 어느 것 하나라도 뺄 수가 없었다. 방바닥 장판밑에 숨겨놓은 돈들이 한 뭉치씩 밖으로 빠져 나오고 있었고 그 만큼 강경순씨는 자신감이 차오르고 있었다. 여전히 귀가 안좋아 목사님의 설교는 잘들리지 않았고 한글을 몰라 성경책을 한줄도 읽은 적이 없어서 그의 마음속엔 하나님이 당신을 사랑하신다는 것과 예수님이 우리를 위해 십자가에 달려 돌아가셨다는 중요한 사실 두 가지만 확실히 알고 있었다.

강경순씨 마음깊 은 곳에는 두고 온 둘째 딸이 또아리를 틀고 있었다. 교회에서 가르쳐 준대로 항상 기도하라고 해서 둘째 딸이 있는 시누이집에 전화라도 할 수있게 용기를 달라고 기도를 해서 그런지 어느날 둘째 딸 생일날인데 용기를 내어 수화기를 들고 동전 떨어지는 소리와 함께 다이얼을 돌렸다. 상대방에서 황급히 전화를 받는데 시누이 목소리였다. 순간 가슴이 다듬이 방망이로 두드리듯이 쿵쾅거리는 걸 꾹 참고 내가 둘째 딸 엄마라고 했다. 시누이는 잠시 말을 못하더니 지금 와서 무엇하러 전화했냐고 다시는 전화하지 말라고 소리를 지르더니 전화를 끊어버렸다.

경순씨는 그 자리에서 얼어붙는 것 같았다. 귀는 안들리지만 시누이가 너무 소리를 크게 지르는 바람에 그때 그 소리가 지금도 들리는것 같다. 첫마디에 상처입은 경순씨는 다시는 전화하지 못했다. 기도하면 들어준다더니 하나님도 나처럼 귀가 어두운가 보다 하고 생각했다. 시누이랑 연락이 잘되면 그 동안 키워준 사례라도 하고 딸을 데리고올 마음으로 그랬는데 단칼에 잘라버리니 지금 와서 무슨 낯으로 내 딸이니 내가 데려 가겠노라고 하겠는가 말이다. 억장이 무너지지만 내 팔자가 하도 사나워 요 모양 요 꼴이 되는구나 하고 팔자소관으로 돌려버리고 말아야지 했다. 그럴수 록 교회로 집중돼서 주일 예배때 마다 목사님이 불러주는 헌금자 발표소리에 항상 강경순 이름이 어김없이 나오고 그러면 어깨가 으쓱 올라갔다. 예배후에는 봉사처에 가서 봉사활동을 하고 칭찬 받으니 사는 게 보람되고 일요일도 밤이 돼야 집으로 돌아왔다.

어느 날 아침에 청소하려고 주인 아주머니집에 갔더니 아들 사업자금이 필요해서 집을 내놓았더니 팔려서 이사를 가야 하는데 아주머니가 늙어서 집안 일을 도울 사람이 필요하니 경순씨를 같이 가자고 했다. 경순씨는 하늘이 노랗게 된다는 게 이런 경우를 두고 하는 말이구나 싶었다. 그 동안 몸은 고달펐지만 어디가서 여기만큼 벌이도 힘들테고 독립된 공간을 혼자 내집같이 쓰다가 예상치도 못한 일이 벌어지니 모든 것이 와르르 무너지는 것 같았다. 그나마 다행인 것은 주인 아주머니가 경순씨를 데리고 가고 싶어하니까 우선 적은 돈이라도 수입이 있고 거처 할곳이 있으니 집도 절도 없는 경순씨는 안심은 되었다

몇 달이 지나고 드디어 이삿날이 되어서 아주머니는 미아리에 있는 아파트로 이사를 하셨다. 교회하고는 버스 한 번으로 갈 수 있어서 좋았지만 아주머니 집에서 사는것은 여간 불편하지 않았다. 우선 교회 사람들이 집에 드나들 수도 없고 남동생 가족들도 밖에서 만나야 했다. 때로는 기도할 때도 큰소리로 하다가 울기도 하고 옥탑방에서 옆집 신경쓸 것도 없이 자유롭게 살았건만 여기는 창살없는 감옥이나 마찬가지였다. 일요일날 교회갈 때도 수수한 차림으로 조심스럽게 다녀와야 했다. 아침 일찍부터 일을 시작해 밤 늦은 시간까지 일하던 끝이라 적은 평수 아파트에 단 두사람이 살다보니 할 일도 없고 무료하기 짝이 없었다 .

그 동안 잊고 지냈던 그 병이 다시 살아나는것 같아 겁도 나고 발병을 막기 위해선 일에 몰두해야 되겠다는 생각이 들던 터에 동네 목욕탕에서 밤에 청소해 줄 사람

을 구한다는 이야기를 듣고 찾아가서 승락받았다. 목욕탕은 영업이 끝나는 밤 10시부터 12시까지 청소를하는 것이었다. 그 시간이면 주인 아주머니가 주무시는 시간이라 아무런 불편없이 일할 수 있어서 좋았다. 수입도 예전보다 많이 줄어서 교회 헌금도 마음놓고 할수가 없어 마음이 불편했었는데 조금이라도 형편이 나아지니 자신감도 생겼다. 한글을 모르니 성경을 읽을수도 없고 하나님에 대한 기본 지식이 없으므로 교회에서 가르치는 십일조나 감사헌금 그외 건축헌금 기타등등 여러가지 헌금을 많이 하면 복을받아 잘 살게 되고 봉사를 많이 하면 하늘에 복을 쌓아서 나중에 죽어서 천국가면 하나님이 큰 상을 준다고 알고 있어서 죽기 살기로 일을 해서 교회에 고스란히 헌금하고 틈만나면 교회에서 봉사활동 하는데 참여를 하느라 늘 바쁜 일상에 모아놓은 돈은 한푼도 없이 살았다. 강경순씨 개인적인 삶은 고루했지만 교회에서는 굉장한 지명도를 누리고 다녔다.

어느덧 주인집 아주머니는 나이가 들어 여기저기 몸이 아픈 데가 많아 그 즈음 자주 누워 계셨다. 어느 일요일, 그 날은 예배후에 교회에서 마련한 독거노인들만 입원해서 치료받을 수있는 의료시설을 마련해서 개원식을 하는 날인데 당연 강경순씨가 행사장에서 봉사하기로 되어 있었는데 그 날따라 주인집 아주머니가 허리가 아프다고 꼼짝달짝도 못하고 누워 계셨다. 난감해진 경순씨는 아침밥을 해서 떠먹여 드리고 기저귀를사다가 채워놓고 될 수 있는대로 일찍 와야지 하고 교회로 갔다. 예배가 끝나고 행사장에 잠깐만 가서 다른 사람들에게 일임하고 집으로 가야지 하고 갔는데 일이 여의치 않아 늦어지게 되어 집에 돌아가니 예상치못한 아주머니 아들이 와 있었다. 화가 난 아들이 경순씨를 불러 아픈 어머니를 두고 교회에 갔다가 늦게까지 있다 오면 어떡하냐고 내가 안 왔었다면 어머니 혼자 어쩔 뻔 했겠느냐 하면서 더 이상 어머니 집에 있지 말고 갈 곳을 찾아 나가달라고 했다.

하루 아침에 갈 곳을 찾아야 하는 경순씨는 하늘이 무너지는 것 같았다. 따로 독립을 할려면 방을 얻어야 하는데 모아놓은 돈은 없고 나이 들어서 누가 받아 줄리도 없을테니 어쩌면 좋을까 하는 생각에 밤잠을 이룰 수가 없었다. 남동생 집에 가서 내방 내놓으라고 해본들 애들이 커서 다 차지하고 있을거고 무작정 거리에 나가 앉을 수도 없고 난감하기 짝이 없었다.

이 사정을 교회 구역장님한테 전했더니 구역장님이교회에 알아본 결과 교회에서 운영하게 될 의료시설에식당이며 청소등 일할 사람들이 필요하니 그곳 숙소로옮기라고 했다. 하루 아침에 또 다른 환경에서 새로운 일에 적응해야할 걸 생각하니 걱정과 두려움이 마음 한 가득 밀려왔다. 그 동안 주인 아주머니한테 많은 도움을 받고 살면서 깊은정도 들었는데 한번의 잘못으로 하루 아침에 밖으로 내몰리게 되니 후회도 있지만 원망도 마음에서 올라왔다. 언제까지 여기서 살 수는 없겠지만 이렇게 끝날 줄 모르고 독립해서 살 길을 미리 준비해놓지 못한 자신한테 더욱 한심스러웠다. 이제 와서 후회한들 아무 소용이 없었다. 돈모을 사이도 없이 사람들의 인정을 받을 욕심에 있는 돈 아낌없이 교회에 헌금하고 사치하다 보니 요모양이 되었는데, 집을 나오는 날 주인 아주머니도 울고 경순씨도 울었다.

주인 아주머니는 아들 눈치만 아니면 경순씨랑 끝까지 가고 싶다고 했다. 물론 경순씨도 같은 마음이지만장성한 아들의 뜻을 거스를 수가 없어서 아주머니 심정만 안타까웠다. 그 집에 처음 들어갈 때는 입은 옷 한 벌로 들어갔는데 이사를 할려니 짐이 많아서 어떡할까 고민이 많았는데 교회 시람들이 도와줘서 짐을 무사히 옮겼다. 의료시설에 들어간 경순씨는 짐정리도 마칠 사이도 없이 닥치는대로 일을 해야했다. 원래도 일머리가 뛰어나서 남들은 보이지 않는 일도 경순씨 눈에는 모든 곳이 할 일로 보였다. 아직 설립 초기라서 모든 일이 체계가 안잡혀 더욱 질서 없이 진행되어가고 있었다. 한달 정도는 거의 밤낮없이 정리를 하고 청소를 하면서 지냈다. 의료원에서 받는 환자는 영세민에 독거 노인들과 노숙자도 끼어 있어서 일단 들어오는 환자는 목욕부터 시켜 주어야 하는 경우가 많았다. 의료진을 빼고 나머지 인력은 교회에 출석하는 교인들로 거의 다 자원봉사자로 이루어졌는데 경순씨 같이 전적으로 일하는 사람 몇 명만 적은 월급으로 일하고 있는 실정이었다.

의료시설에는 언제나 환자들로 넘쳐나고 있어서 일손이

부족했다. 걸을 수 있는 환자들은 주일날 교회에서 예배를 드리고 가족들도 같이 와서 예배를 드리는 경우도 많아 교회는 출석 인원이 많았다. 언제나 십일조나 감사헌금을 많이 하라고 설교시간 가릴것 없이 말하고 있어서 경순씨도 받는 월급 거의다 헌금으로 내고 있었다. 생각해 보면 경순씨가 교회에 나간 후는 돈을 모아 놓은 적이 없었다. 예전엔 방바닥 구석 장판밑에 쌓아 놓아서 방바닥에 쿠션을 깔아놓은 것처럼 푹신푹신하게 지낼 때도 있었는데 어쩌다가 이렇게 되었을까 하고 근심에 쌓일 때도 있었다. 그래도 목사님 말씀이 하늘에 금은 보화를 많이 쌓아 놓으면 나중에 죽어서 천국 갔을때 많은 상을 받는다고 하니 그것만믿고 가면 되지 않을까 하는 생각으로 위로를 받는다.

그 곳에서 나오고 싶어도 기치할 곳이 없으니 어쩔 수 없이 하루하루 버티고 살아가고 있었다. 남동생이 누나가 이제는 나이도 많고 몸도 쇠약하니 의료시설에서 나오라고 했다. 그렇치만 갈 곳이 없으니 어쩌겠는가? 생각못한 남동생이 자기집 주소지로 경순씨를 옮겨놓고 동사무소에 독거노인으로 등록해서 주거할 곳을 제공해줄 것을 요청한 끝에 방 한칸에 부엌달린 집을 마련해서 누나를 그 곳으로 옮겨주었다. 이제 강경순씨는 동사무소에서 마련해준 집으로 옮겨와 폐휴지를 주워 팔며 살았다. 그리고 워낙 청소로 오랫동안 일을 했기에 동네 건물에 봉사로 청소일을 하다가 건물주인이 고맙다고 용돈정도 챙겨주는 걸로 교회 헌금도 하며 지냈다.

그렇게 살던 집이 비원 담벼락에 무허가로 붙어있던 집인데 문화재에서 비원 재정비하는 바람에 철거당했다. 그래서 할 수없이 이번에는 독거노인들만 모여서 같이 살고 있는 공동시설로 입소하게 된 것이다. 그 곳에 입소하기 위해 가족 관계를 정리하다가 시누이집에 맡겨둔 딸의 연락처도 알게 되어 딸네 가족들도 만나보았다. 사위가 가족들을 데리고 와서 장모님을 모시고 집으로 가서 하룻밤 주무시고 오셨다고 했다. 강경순 어르신은 이 사실이 혹여라도 주민센터에라도 알려질까봐 무척 긴장했다고 한다.

그후에 요양 등급을 받았기에 내가 요양보호사로 강경순 어르신을 만나게 되었다. 처음에는 난청에다 한글도 모르니 대화하기가 쉽지 않고 혼자만의 세상에 빠져 있어서 누구 말도 듣지않고 당신 고집대로만 행동을 하시니 답답하기가 이루 말할 수없었다. 옆에 사람이 있어도 본체만체하면서 곁을 내주지 않고 계속 무릎을 꿇고 앉아 기도한다고 알아들을 수도 없는 말로 중얼거리셨다. 생각끝에 성경책을 읽어주기로한 거였는데 통한 것이었다. 얼마정도 지나니 내 말은 잘못알아듣고 혼자말로 계속 이야기를 이어서 하셨는데 딸의 전화번호를 주시면서 보고싶다고 하셨다.

내 핸드폰에 번호를 입력하고 전화를 걸어 보았는데 받지않았다. 문자를 보냈다. 읽기는 했는데 여전히 답은 없었다. 페이스북에 수시로 소식을 올려놓아 사진으로 아이들 얼굴은 볼 수가 있었다. 강경순 어르신 말씀으로는 딸이 자기를 키워주지 않아서 엄마를 싫다고 했다고 하셨다. 딸이 생각날 때마다 나한테 딸이야기를 자주하시곤 했다. 그 때마다 나는 문자로 딸을 설득했다. 그래도 여전히 답은 없었다. 얼마나 미운감정이 많아서 저럴까 하고 충분히 이해가 되었다. 그렇게 시간이 지나고 있을 때 같이 사시는 어르신들이 나 때문에 피해가 많다고 생각되는지 내가 없을 때 강경순 어르신을 날마다 들들 볶았다고 한다.

이유는 이랬다. 내가 없을 때는 강경순 어르신이 문을 닫아 버리고 혼자 들어앉아 기도만 하시니 밖에 먹을것이 배달이 와도 자기들이 독차지 해서 먹고 우유나 요구르트 도시락 할 것없이 어쩌다가 하나씩 줄 때도 있지만 자기들이 많이 차지 했는데 나 때문에 그럴 수도 없고 강경순 어르신이 내가 없을땐 자기들한데 잘보일려고 뭐라도 있으면 주고 하던 일이 없어졌으니 요양보호사만 없으면 자기들한테 잘할 수밖에 없는데 아주 손해를 본다고 생각한 것이다.

계속 강경순 어르신만 들볶으면 어르신이 알아서 요양보호사를 내보낼줄 알았는데 통 그럴 기미가 안보이니 작정하고 야단을 떨어대는 것이었다. 강경순 어르신한테 요양보호사를 그만두게 하라니까 왜 말을 안듣느냐고 호통을 치면서 막무가내었다. 완전히 강경순 어르신을 두사람이 합심해서 지배하고 있었다. 이대로 가만히 두면 안되겠다 싶어서 담당 공무원에게 알렸는데 그 사람도 고개를 절레절레 흔들면서 어떻게 할 수가 없어서 마음이 아프지만 조금이라도 불평이 있으면 구청이고 시청이고 찾아가서 난리피우고 떠들어 대서 다들 귀찮아서 가만히 둔다는 답변만 들었다.

강경순 어르신이 다니던 교회에서도 한달에 한번 씩 심방왔는데 심방 올 때마다 강경순 어르신이 헌금하느라고 자기들한테 돈을 못쓴다고 생각하고 교회에서 심방오지못 하게 방해해서 발길을 끊었다고 했다 강경순 어르신은 점점 고립되어 상대해 주는 사람도 없이 우울하게 지내다가 급기야는 방문을 닫아걸고 기도만 하고 계셨던 것 같다. 거기서 버티고 살기위해선 어쩔수 없이 그 사람들의 비위를 맞춰 줄려고 간식거리도 사고 통닭도 시켜주고 그 집에서 쓰는 모든 생필품을 강경순 어르신 혼자서 담당 했다고 한다 장기요양센터에서도 두 사람을 상대하기 꺼리해서 그냥 그만두는 편이 좋을거라고 했다. 모든 기관에서 이렇게 나오니 별 수없이 마무리하고 강경순 어르신을 종료했다.

그 후 2년쯤 지난 가을 어느날 강경순 어르신 딸한테서 전화가 왔다. 그렇게도 전화 통화좀 하자고 사정해도 아무 답도 받지 못했는데 갑자기 전화를 받으니 꿈만 같았다. 웬일이냐고 물었더니 엄마가 돌아가셨다고 했다. 살아서는 못 뵈고 돌아가신 다음에 연락받고 갔다고 했다. 예전에 전화하고 문자로 보내준 말이 고맙고 감사해서 전화했다고 했다. 왜 그랬냐고 물었더니 어릴 때 고모집에서 자라면서 마음고생이 많았고 주변에서 너희 엄마 아주 몹쓸 사람이라고 세뇌 당했다고 했다. 엄마가돌아가시고 나니까 전에 내가 보내주었던 문자에 그래도 세상에서 하나밖에 없는 부모님인데 그 부모님이 눈에 넣어도 아프지 않을 자식을 못 키울때는 그만한 사정이 있었을거라 생각해서 일단은 용서하고 살아계실 때 만나서 정을 나누는게 나중에 후회가 덜된다. 그 용서는 나를 위해서 꼭 하는게 좋다고 써준 말이 엄마가 돌아가셔도 아무 상관이없을 줄 알았는데 지금 너무 후회가 되어서 괴롭다고 했다. 그리고 엄마는 같이 사는 사람들한테 시달림을 받아서 일찍 돌아가셨다고 주변 사람들에게 들었다고 했다. 가슴이 아픈 가족사를 보면서 사회 제도가 발전된 사회에서 살았더라면 이렇게 힘든 선택을 안해도 그 어르신은 딸을 데리고 충분히 살 수 있지 않았을까 싶었다.